JN063642

Amazon個人輸出完全ガイド

田村浩
Hiroshi Tamura
物販コンサルタント／
株式会社インフィニタス・
バリュー代表取締役

standards

0-1

はじめに

本書を手に取っていただきありがとうございます。この本は、Amazonを使った輸出物販ビジネスに取り組んで、初心者でも月10万円以上の利益を獲得できるようになるための入門書です。

私がAmazon輸出ビジネスをおすすめする最大の理由は、現在、為替が大きく円安に振れていることです。特に2022年の円安・ドル高の進行はすさまじく、一時は32年振りの1ドル＝150円台に達しました。

これは輸入企業や私たちの家計にはマイナスですが、輸出ビジネスにとっては大きなチャンス。仕入価格が同じなら、為替レートが円安に振れるだけで、日本円換算した時の売上高が大きくなるからです。

つまり、輸出すればするほど儲かるボーナスタイムが到来しているのです。

もうひとつの大きな環境変化として、2023年10月から始まるインボイス制度（適格請求書等保存方式）があります。これにより中小事業者やフリーランスに大きな影響が出るといわれています。

しかし、輸出のために仕入れた商品には消費税がかからないルールがあるため、仕入れ時に払った消費税は後から返金されます。**この「消費税還付」を使えることは、輸出ビジネスの醍醐味です**（詳細は本書のChapter5にて解説します）。

他にもいくつか理由はありますが、とにかく今、輸出ビジネスがアツいのです！

本書では読者の皆さんに、短時間、低資金、ノースキルでできる輸出ビジネスにチャレンジしていただき、4カ月程度で月収10万円以上を得られる状態を目指していただきます。

「楽して稼げる」とは言いませんが、本書に従ってコツコツと行動すれば、誰でも4カ月後には10万円以上を稼げるようになっているはずです。もちろんスケールを拡大し、月利数10万円や100万円以上を狙うことも可能です。

再現性の高い手法をあなたに

ここで私のプロフィールを簡単に紹介させてください。

私は新卒で大手IT企業に入社し、社畜のように働きました。しかし、大手といえどもなかなか給料が増えない不満から副業に興味を持ちました。そこで実践したFX（外国為替証拠金取引）であっという間に500万円以上を失い、多額の借金を背負いました。

その時、妻が出産を控えており、どうしてもお金を稼がなければならないという状況の中、背水の陣で2015年から始めたのが国内物販ビジネスです。

それが4カ月後に月間利益100万円を達成。その後も継続して稼ぎ続け、2016年からは輸出ビジネスを始め、これも軌道に乗せました。

そして2016年12月にサラリーマンを辞めて独立し、物販（輸出・輸入）ビジネスを本業にしました。

現在は、オリジナルブランド商品のプロデュースや、副業コンサルティング、物販スクールの運営などにも事業を広げています。

私の運営する物販スクールでは、これまで1,000名以上の生徒を育成してきました。サラリーマンの副業や主婦のミニビジネスからスタートして、法人を設立して独立する生徒も多数出ました。

また20名以上の生徒が、月利100万円以上を達成しています。

そんな再現性の高いノウハウを基本からお伝えするのが本書です。基本だけでなく、より稼ぐための中・上級編テクニックもお伝えしています。

本書は以下のような方にぜひ読んでほしいと思っています。

- 副業に興味はあるが、何をどうすればいいかわからない
- これまで副業に取り組んだが、どれもうまくいかなかった
- 月に10万円くらいの副収入が欲しい
- 在宅でできる仕事を始めたい
- フリーランス・小規模事業者だが、本業以外にもうひとつの事業の柱をつくりたい

世界的な景気の混乱、インフレ、コロナ禍など、経済環境は急激に変化しています。会社に勤めていたとしても将来安泰とは言い切れない時代です。

人生に想定外の事態が起きた時にも、副業収入があれば、大きく動揺することなく日々の生活を続けられるはずです。月10万円の副収入を確保しておくことは、人生を安定させ、豊かにすることにつながります。

ぜひ本書を読み進め、Amazon輸出物販の始め方・稼ぎ方を身につけ、豊かで充実した人生をつかみ取っていただければと思います。

株式会社インフィニタス・バリュー
代表取締役　田村 浩

Chapter 3

Amazon輸出ビジネス・実践編(在庫管理、仕入れ)

Chapter 4

輸出ビジネスを制する商品リサーチ法

Chapter 5

基本を学んだらその先へ～中・上級テク～

出版コーディネート	小山睦男（インプルーブ）
構成	平 行男
カバー・本文デザイン	越智健夫
DTP制作	金田光祐（ニホンバレ）

Chapter

1

楽ではないけど確実に稼げる物販ビジネス！

そもそもの話として、なぜ副業として輸出ビジネスがベストであり、プラットフォームとしてAmazonが最適なのか？　初心者がトライするにはハードルが高いのでは？　という疑問をお持ちの方も多いと思います。第一章ではまず、Amazon輸出物販ビジネスのメリットと実行する意義についてお話ししましょう。

1-1

なぜ、もうひとつの収入の柱が必要なのか

「働き方改革法」で副業がやりやすくなった

本題に入る前に、なぜ今、副業に取り組む必要があるのかを考えてみましょう。

その背景にあるのは、労働環境の大きな変化です。2019年4月から、「働き方改革法」が順次施行されました。

大きなポイントとしては、

- 時間外労働の上限規制の導入（違反には罰則あり）
- 5日間の有給休暇取得の義務化
- 正規雇用と非正規雇用労働者間の不合理な待遇格差の禁止
- 割増賃金率の引き上げ

などがあり、大企業はもちろん中小企業でもこれらのルールを順守する必要があります。

その結果、どういうことが起こったか。会社内でのムダな残業が大幅に減ることとなりました。そして残業が減ったことで、残業代が得られなくなり、収入が大きく減ってしまった人も多くいます。

また、働き方改革法には含まれていませんが、2018年に厚生労働省が「副業・兼業の促進に関するガイドライン」を発表し、「モデル就業規則」から副業禁止規則が削除されました。

これによって大手を中心に社員の副業を認める企業が増加しています。

加えて、コロナ禍の影響でテレワークが当たり前になっています。

残業が減り、テレワークで通勤時間がなくなったことで、時間に余裕が生まれた。その反面、収入が減ってしまった。

このような状況のなか、副業に取り組みたいと考える人が増えているのです。

一昔前、副業は会社から禁止されているものでしたが、今では推奨する動きが主流になっているということです。

副業のメリットは、収入の減少を補えることだけではありません。

「現在の会社では得られない知識・スキルを獲得できる」

「自分が本来やりたかった仕事に携われる」

といった側面もあります。

いずれにしても、副業に挑戦しやすい環境になっているのが現在の状況です。どうせやるなら、ビジネスの仕組みの理解につながり、かつ安定した収益を得られる副業に取り組むのがいいのではないでしょうか。

副業の実施動機

1位	副収入(趣味に充てる資金)を得たいから	70.4%
2位	現在の仕事での将来的な収入に不安があるから	61.2%
3位	生活するには本業の収入だけでは不十分だから	59.8%
4位	自分が活躍できる場を広げたいから	50.0%
5位	本業では得ることが出来ない新しい知見やスキル、経験を得たいから	48.9%
6位	副業で好きなことをやりたいから	48.2%
7位	現在の職場で働き続けることができるか不安があるから	46.7%
8位	さまざまな分野の人とつながりができるから	45.4%
9位	会社以外の場所でやりがいを見つけたいから	45.4%
10位	時間のゆとりがあるから	45.1%

出典:パーソル総合研究所「第二回　副業の実態・意識に関する定量調査」

年金収入だけではリタイア後の生活に不安

副業が盛り上がっている背景には、リタイア後に備えて資金を確保しておきたいという切実な事情もあります。

2019年に行われた金融審議会の報告書を発端に話題となった「老後資金2,000万円問題」。そのポイントは以下のようなものでした。

- 高齢夫婦（夫65歳以上、妻60歳以上）無職世帯の毎月の平均赤字額は約5万円
- 毎月5万円の赤字が発生する場合、20年で約1,300万円、30年で約2,000万円の金融資産取り崩しが必要になる

これはあくまでも平均的な世帯をモデルに算出した数値であり、ど

の世帯でも老後に2,000万円が不足するというわけではありません。世帯によって実際の不足額は異なります。

とはいえ、平均寿命が延び「人生100年時代」ともいわれる超高齢化社会になる一方で、退職金は減少傾向にあります。年金支給時期の引き上げなどもあり、将来、年金収入だけで安心して暮らせる時代ではなくなっています。

そもそもすべての人が、定年退職を迎えるまで同じ企業で働き続けられるとは限りません。定年後再雇用となった場合も、給料が大きく減少する例が一般的です。

退職後もまだまだ人生は続きます。**豊かな老後を迎えるためにも、自宅で無理なく取り組めて、労働負荷の低い副業を、定年退職前から少しずつ身につけておくことが大切なのではないでしょうか。**

副業にもいろいろあるが……

他の人はどんな副業をしている？

副業している人は、どんな職種・業種に就いているのでしょうか。下記はパーソルの行った調査結果の上位を抜粋したものです。

正社員の副業内容

1位	Webサイト運営（ブログ運営、YouTubeなど）	12.6%
2位	配送・倉庫管理・物流	11.2%
3位	ライター・Webライター	8.6%
4位	eコマース（インターネット通販・ネットショップ販売）	7.7%
5位	販売・サービス系職種（店舗内・事業所内）	7.3%
6位	事務・アシスタント（データ入力含む）	6.4%
7位	その他専門職	6.2%
8位	フードデリバリー・配達	6.0%
9位	医療系専門職種	5.3%
10位	IT系技術職種	4.9%

出典：パーソル総合研究所「第二回　副業の実態・意識に関する定量調査」

副業といってもいろいろな職種・業種があることがわかります。

副業の動機や本業の職種などによって、どのような副業に取り組むべきか、どんな副業が適しているのかは変わってきます。

コツコツと働いて着実に稼ぎたいのであれば、配送業やサービス系職種もいいでしょう。本業のスキルを生かして自己実現したいのであれば、ライターやコンサルタント、IT系職種が向いているのかもしれません。

多くの副業は再現性がない

私がかつて副業に取り組んだ動機は、第一に収入の確保でした。そのため、スキルアップや自己実現などはどうでもよく、できるだけ少ない元手で大きな収入が得られそうなものに手当たり次第チャレンジしました。

- **ブログやアフィリエイト**
- **ユーチューバー**
- **株、FX**
- **不動産投資**
- **Webライター**
- **Webデザイナー**
- **シェアリングサービス**

これらを一通り実践して、どれも成果につながりませんでした。「はじめに」でも書いたように、特に大きな失敗をしたのはFXで、ごく短期間に500万円を失いました。妻が妊娠し、数カ月後には子供が生まれるという大切な時期に……。

そもそも、大損する可能性のある株やFXを「副業」ととらえている時点で間違っていたのかもしれません。

しかし、たくさんの失敗を経験したなかでも唯一、継続して成果が出る副業に出会うことができました。**それが物販です。**

最初は国内物販からスタートしましたが、その後、輸入・輸出にもチャレンジし、どの方法でも稼げるようになりました。

物販はあらゆるビジネスの基本！　再現性も高い

物販のビジネスモデルは、基本中の基本といえるほどシンプルです。その原則は、

「売れるものを、安く仕入れて、高く売る」

これに尽きます。国内販売なら、国内で仕入れて国内で売る。輸入転売なら、海外で仕入れて国内で売る。輸出販売なら、国内で仕入れて海外で売る。

いずれにしても、「売れるものを、安く仕入れて、高く売る」という基本動作を忠実に実践することで、大きな成果を得られる仕事が物販です。非常にシンプルであり、だからこそ奥が深いビジネスといえます。

いろいろな種類の副業があるなかで、この物販ビジネスを私は一番におすすめしています。特にこれまで自分でビジネスを立ち上げたことがないという人にとって、最も取り組みやすいのが物販だからです。

しかし残念ながら、物販は決して「楽して稼げるビジネス」ではありません。

ただし、正しい行動をコツコツと継続することで、きちんと成果が

出ることは間違いありません。**具体的には、1日1、2時間の作業を続けることで、4カ月後には月利10万円を稼ぐ力を身につけられます。**

そして、物販は再現性の高いビジネスといえます。先ほど挙げたような、ブログ、アフィリエイト、YouTube、FX、株式投資……これらに関するノウハウ本はたくさん売られています。

そのどれもが、「すぐできる」「成果が出る」と謳っています。しかし、私も経験したことですが、本に書かれている内容と同じことを試しても、なかなか成果が出ない。つまり再現性が低いのです。

それに対して物販は再現性の高いビジネスの手法です。何しろ、「売れるものを、安く仕入れて、高く売る」という基本を守り地道に続けていけば、確実に成果が出るのです。

再現性の高さは、私の運営する物販スクールの生徒さんで実証済みです。

正しく行動しさえすれば成果が再現できる物販ビジネスは、コツコツと地道な努力を積み重ねられる人にとって最適な副業といえるのではないでしょうか。

もちろんスケールアップしていくことで、月利20万円、30万円、50万円、そして100万円と儲けを増やしていき、副業ではなく本業にすることも可能です。

1-3 →

改めて理解したい海外輸出物販のメリット

物販ビジネスの種類

物販の形態は大きく以下の3種類に分かれます。

- 国内物販（国内で仕入れ、国内Amazon、ヤフオク、メルカリなどで売る）
- 海外輸入（海外から商品を仕入れ、国内Amazon、ヤフオク、楽天などで売る）
- 海外輸出（日本で仕入れて欧米Amazonなどで売る）

利益の構造はすべて同じ。図のように「安く仕入れて、高く売り、その差額が利益になる」というのが基本です。

物販ビジネスの仕組み

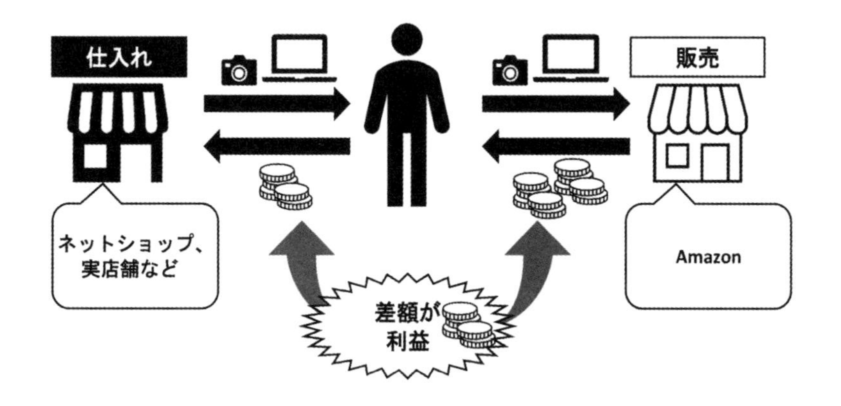

きわめてシンプルでわかりやすいビジネスモデルです。安く仕入れて高く売ることができれば、きちんと利益を上げられます。正しいやり方を継続すれば月利10万円以上も難しくありません。

そして、月10万円以上継続的に利益が出せるようになったら、そこから先は同じことをしながら拡大していくだけ。作業に費やす時間を増やせば増やすほど、得られる利益は増えていきます。

加えて事務作業を外注化したり、アルバイトを雇ったりして業務効率化を進めれば、自分の時間を使わずに自動的にお金が入ってくる仕組みを構築できます。

さらにこれらを経た先には、「自社製品開発」という手法もあります。海外で製造された商品を自社ブランド商品として販売する（＝OEM)、あるいは海外メーカーと総代理店契約を結び日本で販売する、日本の量販店や百貨店に卸す、といった手法に展開することで、ビジネス規模を大きく発展させることも可能なのです。

海外輸出物販のメリット・デメリット

3種類ある物販のうち、本書では海外輸出について解説しています。では、海外輸出のメリットとデメリットはどこにあるのでしょうか。

○メリット1　円安時に大きな利益

まずメリットとして挙げられるのは、円安時に大きな利益を得られること。例えば次の図のように、国内にて1万円で仕入れた商品を、アメリカに輸出し200ドルで販売する際、為替レートによって利益は大きく変わってきます。

為替レートは本書執筆中の2023年2月時点で1ドル＝130円前後。ここ30年のなかでも最もドル高・円安水準にあるといえます。このような市況の時は輸出に取り組むことが、簡単に利益を出す方策なのです。

為替の変動で利益は大きく変わる

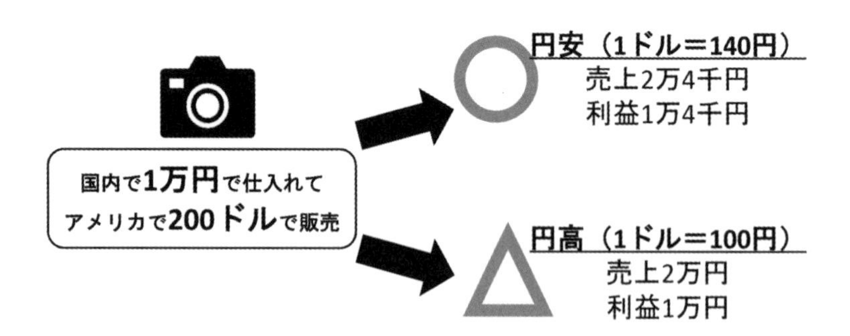

○メリット2　日本製品の人気が高い

本書では、国内で仕入れてアメリカで売るケースを想定して解説しています。アメリカで売る際に大きな武器となるのが、日本製品の人気の高さです。

特にアニメの限定グッズなど希少性の高いアイテムはアメリカでも人気が高く、高値で売ることが可能です。またデジタルカメラなどの電気製品も、「日本製は品質が高い」という安心感・信頼感から売れやすい商品です。

「そんなに日本製品の人気が高いなら、メーカーが海外でも売っているだろう」と思われるかもしれませんが、意外と売っていないものも多くあります。需要は高いのに売られているアイテムが少ないので、輸出に適しているのです。

○メリット3　市場規模が大きい

国内よりも海外の方が、当たり前ですが市場規模が大きいです。同じ釣りをするなら、魚がたくさんいる生けすで釣った方が釣れやすいのは当然です。

○メリット4　消費税が還付される

Chapter5で詳しく説明しますが、海外へ日本製品を販売した場合、仕入れた時に支払った消費税が、後から還付されることになります。したがって、同じ商品を日本で売るよりも、海外で売った方が利益は大きくなるのです。

ただし、消費税を還付してもらうためには税務署への申告手続きが必要です。

●デメリット1　円高時には利益が出にくい

円安時にメリットがあることの裏返しで、円高に振れると、それだけで利益が大幅に少なくなってしまいます。

したがって、円安の際に輸出に取り組み、円高になったら輸入や国内物販に切り替えるというように柔軟に対応していくことが大切です

●デメリット2　発送コストが高い

海外に輸出する必要があるため、日本国内で発送するよりも大幅に発送コストがかかります。海外への発送手続きや輸出不可品目などについても知る必要があります。

発送コストをいかに節約するかは利益を出すための大きなポイントになるので、本書でも詳しく解説します。

●デメリット3　英語でのサポートが必須

サイトへ掲載する説明文や、海外顧客に対するサポートの文章は基本的に英語で入力する必要があります。英語に苦手意識がある人には抵抗感があるかもしれません。

しかし最近では、Google翻訳やDeepL翻訳といった翻訳ツールを使えばかなり精度の高い翻訳を行えますし、そもそもAmazon販売での説明文やサポートの解答には簡単な英語しか使いません。

アメリカのAmazonの販売者用サイトのインターフェイスも大部分が日本語に対応しています。英語が苦手な人でも問題なく取り組めるといえます。

1-4

輸出物販に取り組むなら、なぜAmazonが最強なのか？

Amazon輸出物販のメリット

海外輸出物販を始めるにはいろいろな方法がありますが、初心者が副業でもチャレンジしやすいのは、すでにあるプラットフォームを使う方法です。

つまり、Amazon、eBay、タオバオ（中国）などのECサイトに自分の商品を掲載する方法です。

私はこれまで、各国のAmazonで販売した他、eBayでの販売にも取り組んだことがありますが、**圧倒的におすすめといえるのはアメリカのAmazonです。**なぜアメリカのAmazonがいいのか、そのメリットを説明します。

●市場規模・シェアが大きい

Amazonはドイツやイギリスなど約20カ国以上で展開していますが、なかでも売上規模が大きいのはアメリカ、ドイツ、イギリス、日本です。特にアメリカでの売上が圧倒的に大きく、その規模は日本の約15倍です。

市場規模が大きいということは、それだけたくさんの顧客がいるということ。輸出物販ビジネスをするうえで最も取り組みやすいのがアメリカのAmazonなのです。

また、アメリカのリサーチ会社eMarketerが2022年に発表したレポートによれば、アメリカのEC市場におけるAmazonのシェアは40.7%を誇り、Walmart（8.2%）、Apple（5.3%）を大きく引き離しています。有名なeBayでさえ、3.5%の4位です。

アメリカのEC市場はAmazon一強の状態となっています。海外輸出物販に取り組むなら、市場規模・シェアの大きいプラットフォームを利用した方が有利です。

もちろんライバル業者もそれだけ多いのですが、それ以上にAmazonの集客力の高さは魅力的といえます。

●FBAサービスを利用できる

Amazonには、出品者向けの独自サービスとしてFBA（Fulfillment by Amazon）があります。これは、受注、梱包、発送、カスタマーサービス、返品対応のすべてをAmazonが代行してくれるというもの。

Yahoo!オークションなどで商品を販売した経験がある人は、思い出してみてください。商品が落札されたら、落札者の情報を確認し、送り状を準備して、商品を梱包し、発送して……と、受注から発送まで非常に手間がかかります。ひとつの商品でさえ面倒なのに、毎日いくつも売れてしまったら、時間がいくらあっても足りません。

しかしFBAを使えば、出品者は複数の商品をまとめてAmazonのFBA倉庫に送っておくだけ。そうすると注文管理や決済、24時間態勢の配送といった業務をすべてAmazonが代行してくれます。時間が限られている副業ワーカーにとって非常に便利なサービスです。

実際に販売する際は、Amazonセラーセントラルの月額登録料4,900円（税別、2023年1月現在）と1受注ごとに手数料がかかりますが、上記のように充実した出品代行サービスを利用できるのですから、決して高くはないコストといえます。手数料の詳細はChapter2で解説します。

●出品者サイトは日本語対応

通常の海外ECサイトの管理画面は英語などの現地語表記なので、その点が輸出に取り組む際のハードルになります。米Amazonのセラーセントラル（出品者用の管理画面）もつい数年前までは英語表記でした。

しかし今では、日本語を表示できるようになっています。これにより、日本のECサイトで販売するのと同じように、アメリカのECサイトに手軽に出品できます。

●入金のサイクルが早いので資金を回転させやすい

一般的なECモールでの売上金の入金は1カ月程度かかりますが、**Amazonの入金サイクルは14日。2週間に1回です。**

また、申請により最短1日での入金をすることも可能なので、資金繰りの苦しい時にも非常に助かります。

Amazon輸出の流れ

Amazon輸出を開始し、実際の商品を販売するには、下記のような作業が必要になります。

【準備】
- 海外代理口座の開設
- Amazon.com出品アカウントの作成

【販売】

- 商品の仕入れ
- 商品登録
- 梱包、発送
- 入金確認
- 返品・問い合わせ対応

Chapter2からは、これらの作業について細かく解説していきます。

Chapter

2

Amazon輸出ビジネスの始め方（口座開設、商品登録、納品）

前章ではAmazon輸出物販ビジネスの魅力について概論的にお話ししました。続いて、早速Amazon輸出物販について、具体的に着手していきましょう。口座開設から商品登録、納品の方法について初心者にも理解しやすいように、丁寧にわかりやすく説明します。

2-1

海外代理口座の開設

ペイオニアに登録しよう

Amazon輸出物販を始めるための準備を進めていきましょう。まずは、アメリカ国内での売上を受け取るための代理口座の開設です。

Amazon.comの売上を受け取るには、銀行口座の設定が必要になります。しかし2023年1月現在、Amazonは日本の銀行口座での売上受け取りに対応していません。

そこで、Amazon.com→代理口座→日本の銀行というルートで入金する必要があり、代理口座の開設が必要となります。

代理口座として最も使いやすいのはPayoneer（ペイオニア）です。

Payoneer Globalというナスダック上場企業が運営しています。

このペイオニアに登録する手順を解説します。なおここでは、「個人」での登録を念頭に解説しています。法人は、手順3のステップで「法人」を選び、サイト上の指示に従って手続きを進めてください。

【登録時に必要なもの】

- 携帯電話（認証で使用）
- 銀行口座情報
- 顔写真付き身分証明書（パスポート or 運転免許証）

●手順1

下記のURLからペイオニアのサイトにアクセスしてください。

https://www.payoneer.com/ja/

トップページから【今すぐ始める】をクリックします。

●手順2

事業の種類を選ぶ画面が表示されるので、用途に合ったものをクリック。Amazonはマーケットプレイスでの販売になりますので、「海外マーケットプレイス販売」を選択します。

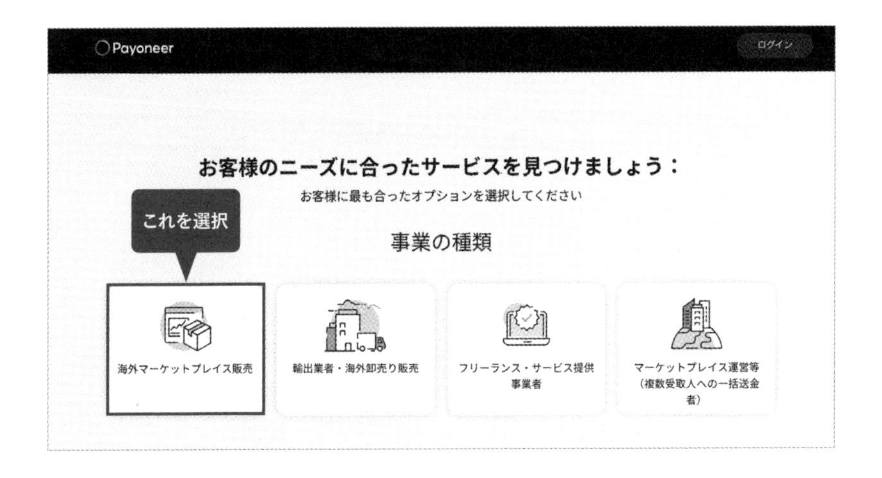

次に表示される以下の画面でニーズにあったものを選択します。真ん中あたりの「5,000米ドル～1,000米ドル」を選択しておけばOK。次に表示される画面で【アカウント開設】ボタンをクリックします。

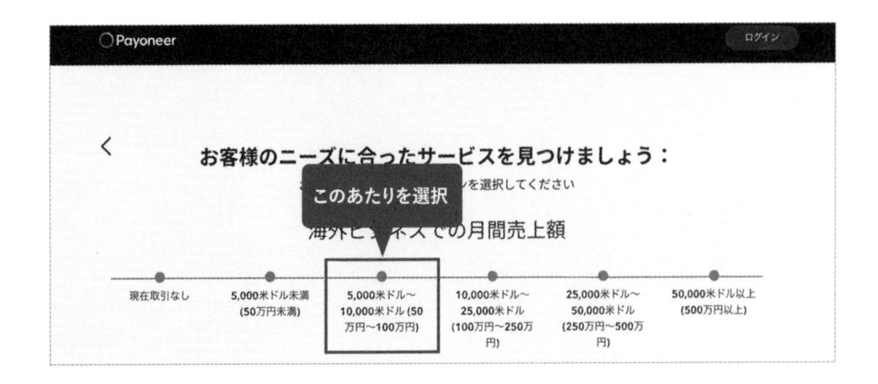

●手順3

サインアップの画面が表示されます。「個人」を選択して、名前・姓、Eメールアドレス、生年月日を入力し、「私はロボットではありません」にチェックを入れて【次へ】をクリックします。

次に住所を英語で入力します。下記は住所を英語で表記する場合の一般的な書き方です。

【日本語表記】	【英語表記】
〒260-0045	Pakuhaitsu #406,
千葉県千葉市中央区弁天4丁目88番10号 パークハイツ406号室	Pakuhaitsu #406, 4-88-10,Benten,Chuo-ku, Chiba-shi,Chiba-ken 260-0045

ポイントは次の通りです。

- 日本語とは表記の順序が逆（例、建物→番地→町→市→県）。
- 各要素の区切りに「,」を入れる
- 各要素の頭文字は大文字（例.Chiba-shi,Chiba-ken）
- マンション名はそのままローマ字で書く。伸ばし記号は省略（例、パークハイツはPakuhaitsu）
- 部屋番号は、頭に#をつける（例、406号室は#406）

なお、ペイオニアのサイト上では郵便番号に「-(ハイフン)」は不要です。

文字数が多く番地の欄に入りきらない場合は、ハイフンを削除したり、「さらに詳細な住所」に続きを入力したりして、文字数制限に収まるように対応してください。

●手順4

冒頭の国コードで「+81」を選択し、携帯電話番号を入力。【コードを送信する】をクリックします。

しばらくすると携帯電話にショートメッセージが届くので、そこに記載された文字列をサイトに入力して【次へ】をクリックします。

●手順5

パスワード設定の画面になるので、設定したいパスワードを入力します。また、パスワードを忘れた時などに必要となる「セキュリティの質問」をアルファベットで設定します。

各欄は英語アルファベットのみで入力してください
ユーザー名
パスワード入力
パスワード再入力
✓選択してください
一番上のいとこの名前は何ですか（父方）？
一番上の兄弟のニックネームは何ですか？
配偶者の大学の名前は何ですか？
一番上の兄弟の誕生日 はいつですか（MM\DD）？
初めての先生の名前は何ですか?
最初に飼ったペットの名前は何ですか?
祖父（父親の父親）の生まれた市はどこですか？
「セキュリティの質問」を選択する

●手順6

「ID（身分証明書）種別」を選択し、運転免許証番号またはパスポート番号を入力。「有効期限」「名前・名字（カタカナ）」もそれぞれ入力してください。「認証コード欄」には、画像に表示されている文字を入力します。最後に【次へ】をクリックしてください。
(運転免許証もパスポートもない場合は、他の身分証明書が使えるかペイオニアに問い合わせをしてください)

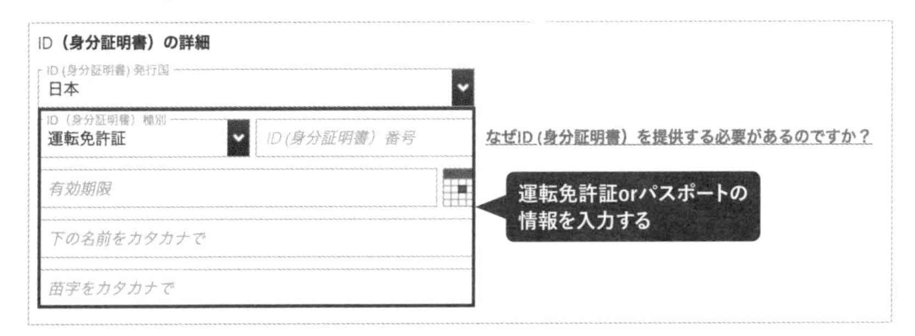

●手順7

ペイオニアから出金する際の送付先となる銀行口座を入力します。種別は、通常「個人アカウント」を選択します。ビジネス用の口座(屋号名義、法人名義）を使用する場合は、「ビジネスアカウント」を選択します。

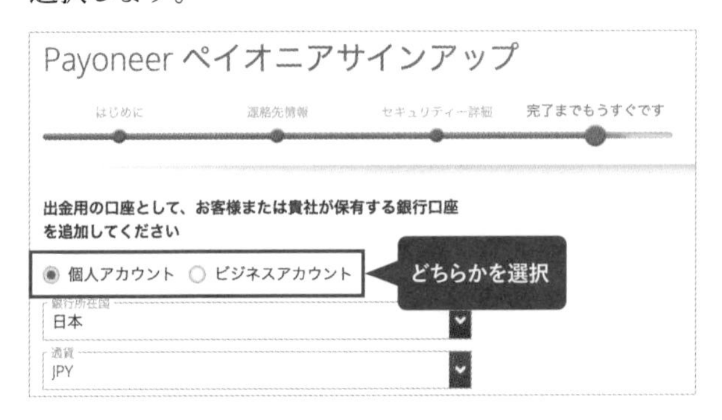

また、「銀行所在国」で日本を、「通貨」でJPY（日本円）を選択。
次に、「銀行名」を一覧から選びます。自分の使いたい銀行が一覧にない場合は、銀行名を英語表記で入力します。英語表記がわからない場合は、銀行のWebサイトなどで確認してください。
その他、「口座名義（カタカナ表記。姓名の間には半角スペース）」「口座名義（英語表記）」「支店コード」「口座番号」「口座種別（普通or当座or貯蓄）」を入力し、プライバシーポリシーなどに同意のチェックをして、最後に【送信】をクリックします。

●手順8

登録したメールアドレスに、「申し込み審査中」といった内容のメールが届きます。
その後しばらくしてメールアドレス確認用のメールが届くので、【Eメールを確認する】ボタンをクリックします。サインイン画面が表示されるので、登録したメールアドレスとパスワードを入力して、サインインします。

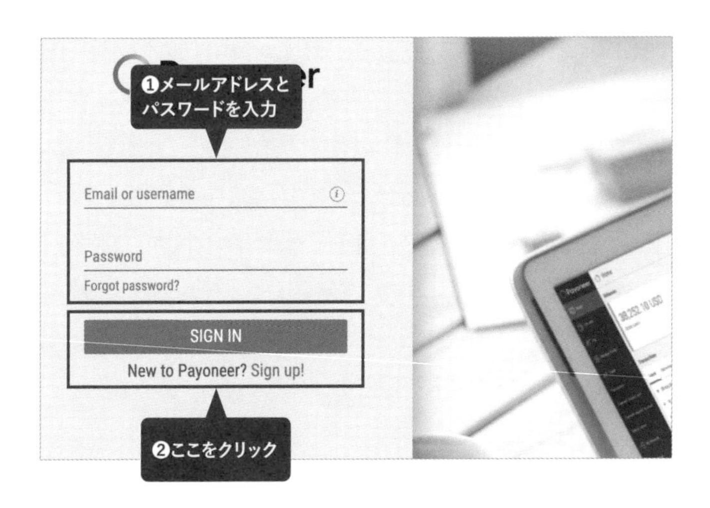

●手順9

携帯電話番号の入力画面になります。番号を入力して、【TURN ON】ボタンをクリック。しばらくするとショートメッセージで認証コードが届くので、サイト上に入力して【SUBMIT】をクリックします。

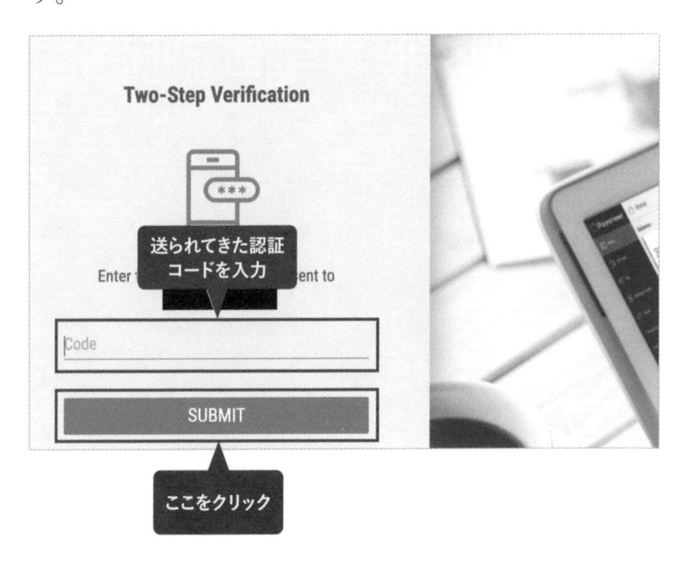

●手順10

リカバリーコードが表示されるので、メモして紛失しないよう保管しておきます。

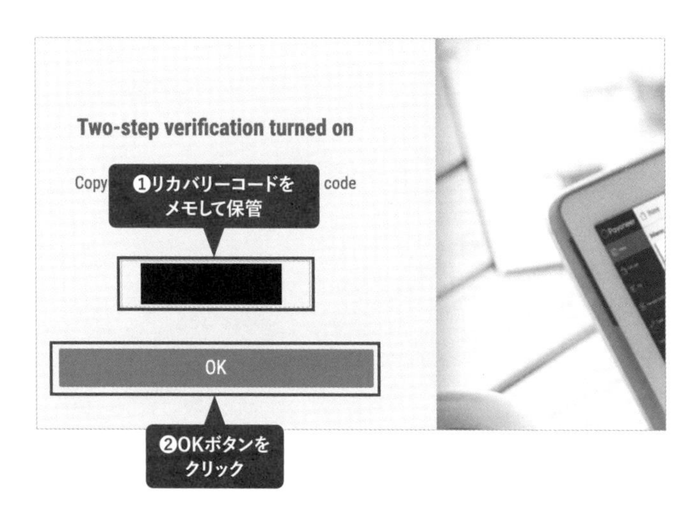

●手順11

ペイオニアにログインできました。「セキュリティの設定を更新してください」と表示されるので、【今すぐ更新する】をクリックします。

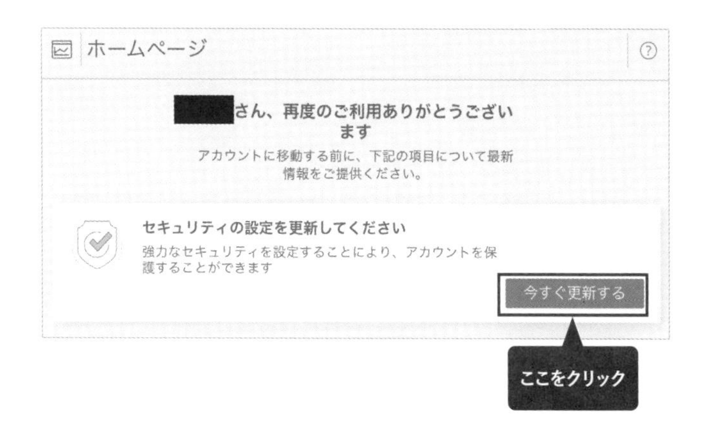

●手順12

次に、セキュリティ質問の設定画面になります。3つの質問と回答を登録し、【変更する】をクリックすると携帯電話に認証コードが届くので、送られてきた認証コードをサイト上に入力して【送信】をクリックします。

セキュリティ質問

この下から新しいセキュリティ質問を選択してください。当社は、お客様の本人確認、アカウント関連処理の承認、パスワードを忘れた場合のリセット手続きのために、これらの質問をする場合があります。

質問の答えを入力

セキュリティ質問1
一番上の兄弟の誕生日 はいつですか(MM\DD)？

答え

セキュリティ質問2
何時に生まれましたか？(おおよその時間、例 8)

答え

セキュリティ質問3
配偶者の母親の名前は何ですか？

答え

セキュリティの設定画面に戻るので、【DONE】ボタンをクリックします。

これで登録完了です。お疲れさまでした！

2-2

Amazon出品者アカウントの作成

出品者用アカウントを開設しよう

次に、Amazon.comのアカウントを作成します。ここでは、前のステップで作成した受取口座の登録が必要となります。大まかな流れと必要情報は次の通りです。

【大まかな流れ】
1. 出品者の情報を入力
2. クレジットカード情報を入力
3. ストアの情報を入力
4. 本人確認の書類をアップロード

【登録時に必要なもの】
- クレジットカード
- 売上受け取り用口座（ペイオニア）の情報
- 身分証名証（運転免許証orパスポート）
- 銀行口座またはクレジットカードの明細書

とても重要な作業ですが、30分ほどで終わります。

下記URLにアクセスして、【さっそく始める】をクリックして登録を進めてください。登録手順は下記ページ内でわかりやすく解説されているので、ここでは省略します。

○Amazon出品用アカウント登録手順

https://sell.amazon.co.jp/sell/account-registration

●本人確認について

なお登録手続きの終盤に、本人確認のためのビデオ面談の希望日時を設定する項目があります。日時を指定して、時間になったら専用サイトにログインして面談を受けてください。

この時、Webカメラとマイクを用意しておく必要があります。本人確認書類をカメラ越しに見せる必要があるためです。カメラ等がない場合はスマホからログインすれば問題ありません。

面談といっても難しい答えを要求されるものではなく、入力項目の確認や写真付き身分証明書の確認を淡々と行う程度で、時間にして2、3分です。

ビデオ面談を終えるとアカウント登録手続きは完了です。審査結果は24時間以内にEメールで届きます。

登録が完了すると、セラーセントラルにログインできるようになります。

Payoneer（ペイオニア）の代理口座をAmazonに設定

ペイオニア口座をAmazonに紐付け

ペイオニアで開設した海外売上の受取口座をAmazonに紐づける必要があります。セラーセントラルで設定しましょう。

●手順1

まず、Amazonのセラーセントラルの画面右上にある【出品用アカウント情報】をクリックします。

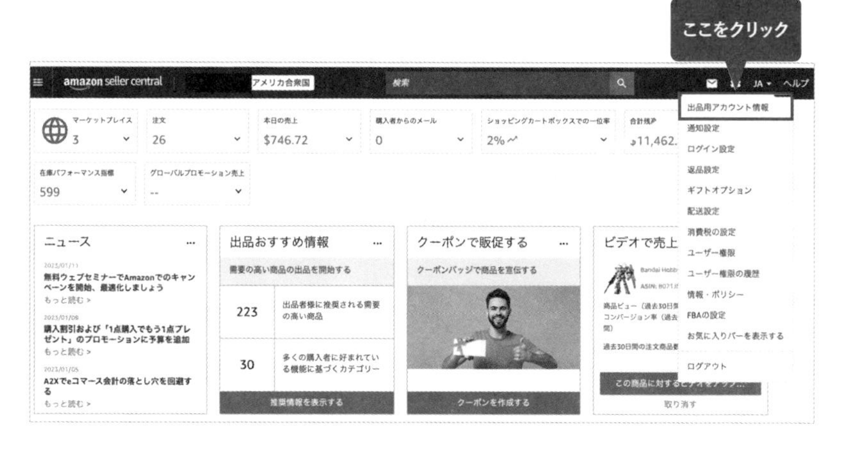

●手順2

画面が切り替わったら、【銀行口座情報】をクリックします。

●手順3

受け取りの銀行口座の登録をするために【新しい銀行口座情報を追加】をクリックします。

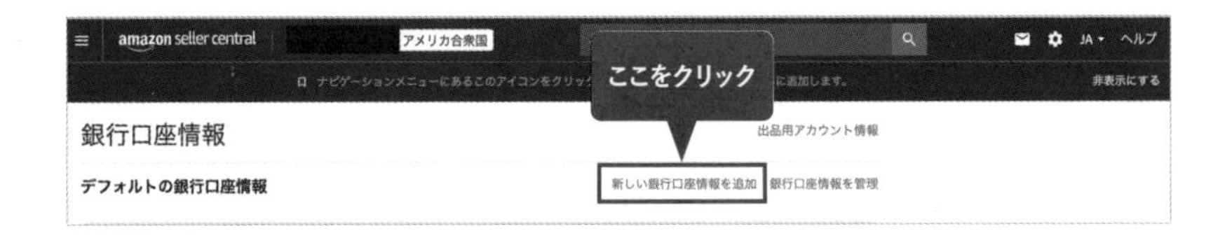

●手順4

次の画面では下記の順番で入力していきます。

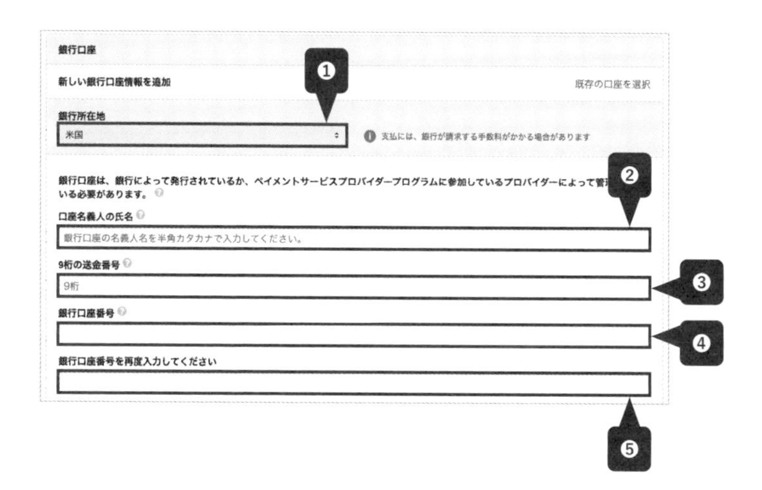

❶銀行所在地：銀行口座のある国を選択します。ペイオニアの場合はOKです。

❷口座名義人の氏名：口座名義人の氏名をローマ字（大文字）で入力します。

❸ 9 桁の送金番号：９桁のルーティングナンバーを入力します。ペイオニアの場合は「ABA # (Bank Routing Number):」横に書かれている９桁の番号になります。

❹銀行口座番号：ペイオニアの口座番号を入力します。

❺銀行口座番号を再度入力してください：確認のため、もう一度ペイオニアの口座番号を入力します。

すべての項目を入力が完了したら【銀行口座情報を設定】ボタンを押して終了になります。

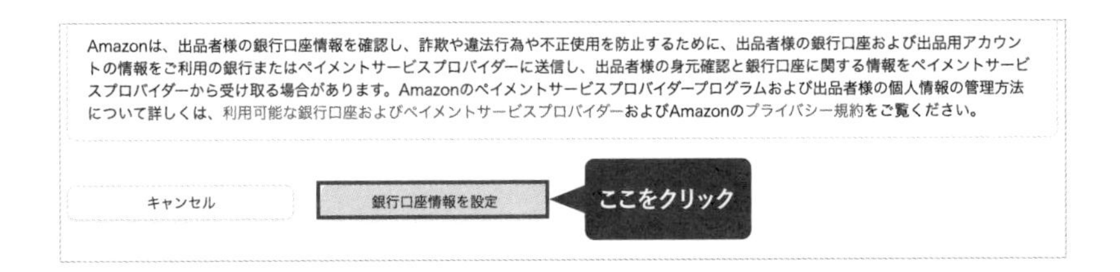

完了するとAmazon.comからセラー情報に登録のあるメールアドレスに完了メールが来ますので確認してください。

ちなみにAmazon.comに受け取りの銀行口座を登録しなくても販売を始めることは可能です。しかしその場合、売上が上がっても受け取ることができませんのでお気を付けください。

Amazonに入力するペイオニアの口座番号の確認方法

ペイオニアの口座画面では、左のタブにある【支払いを受け取る】をクリックすると、「米国」というタブが出ます。ここをクリックすると以下のように情報が表示され、Amazonのアカウントと紐付けされたことが確認できます。

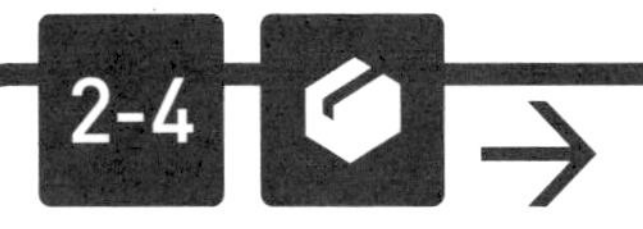

ポイントサイトの活用

ポイントサイトは必ず活用しよう

ネットでの仕入れをよりお得に行うために、ポイントサイトを利用しましょう。ポイントサイトを経由してからネットショップで商品を購入することで、買い物額の数%のポイントが貯まる仕組みです。

場合によっては、ポイントサイトのポイント、ネットショップのポイント、そしてクレジットカードのポイントと、ポイントの三重取りも可能です。

海外輸出物販を継続的に実践すると、毎月少なくない額の仕入れを行うようになります。**買い物の際、ポイントサイトを活用してコツコツとポイントを貯めていくことで、気が付くとそれなりの額のポイントが貯まっているはずです。**

ポイントサイトの仕組み

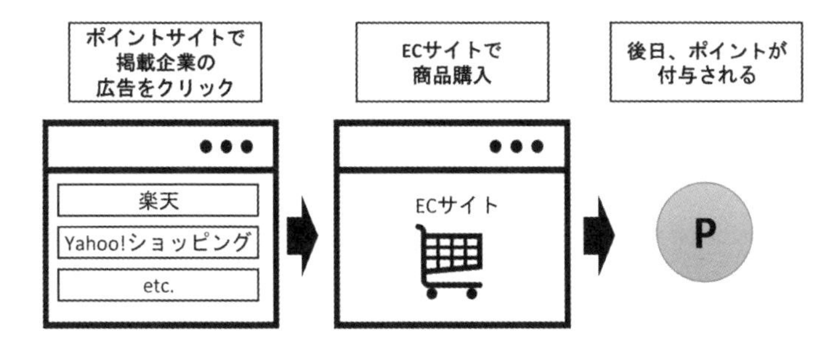

ポイントは現金に換えられたり、あるいはポイントで買い物ができたりします。**つまり、ポイントはお金そのものです。**したがって、ポイントサイトを活用しないことは、確実に得られる利益を損しているのと同じことになります。ネットショップで仕入れを行う際は、必ずポイントサイトを経由しましょう。

おすすめポイントサイトは「ハピタス」

ポイントサイトにもいろいろありますが、私がおすすめしているのは「ハピタス」です。同様のポイントサイトに「モッピー」もありますが、どちらも使い勝手はほぼ同じなので、お好みの方をお選びください。

○ハピタス

https://hapitas.jp/

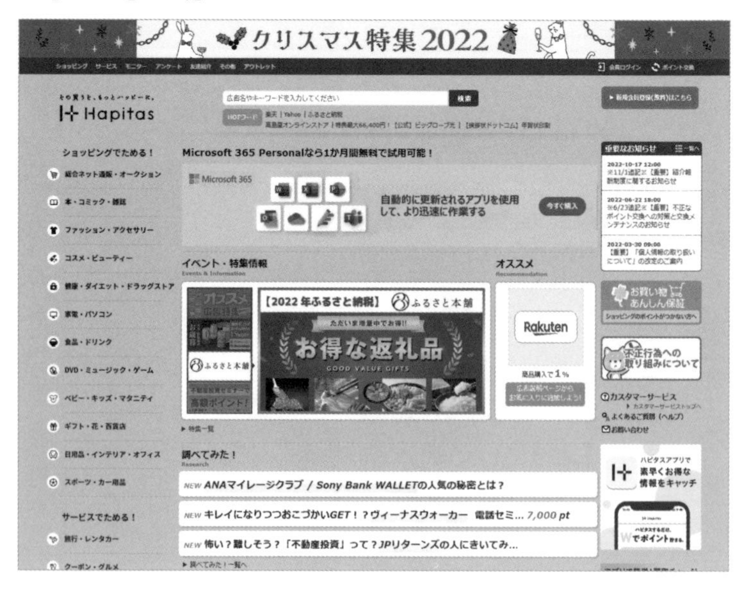

楽天市場、Yahoo!ショッピング、ヤフオクをはじめ、さまざまな総合ネット通販のショップがハピタスに広告を掲載しているので、仕入れなどの買い物をする際に経由するには非常に使いやすいサービスといえます。

ポイント還元率は掲載サイトによって、あるいは時期によって異なります。例えば、2023年1月末時点では、

- 楽天市場　購入額の1%
- Yahoo!ショッピング　購入額の1%
- ビックカメラ.com　購入額の1.5%
- コジマ・ドット・ネット　購入額の2%

となっています。

還元率2%のショップで10万円の買い物をすれば、2,000円分のポイントが戻ってくる計算です。

輸出物販の規模を拡大していくと、月に100万円以上の仕入れを日常的に行うようになり、月1、2万円分のポイントが貯まることになります。輸出物販ビジネスにおいてポイントサイトの利用は必須といえるでしょう。

なおハピタスでのポイントの還元率はその時々で上下します。ショップによっては、キャンペーンで5%以上の高還元率を設定することもあります。

ネットショップでの価格と、ハピタスのポイント還元率の両方を考

慮して、より有利な買い物ができるルートを選んで仕入れを行うようにしましょう。

ポイントを何に交換するか

ハピタスで貯めたポイントは、現金に交換（銀行振り込み）の他、Amazonギフト券、楽天Edy、楽天ポイント、dポイント、nanacoギフト、JALマイレージバンクなどに交換できます。自分が普段利用しているサービスに交換して利用しましょう。

なおポイント交換できる上限は、1カ月につき3万ポイントまでとなっています。

ただし、ポレット（Pollet）に限っては、他交換先への限度額とは別に、月30万ポイントまで交換可能です。交換したPolletは銀行振り込みにて現金化できます。獲得するポイント額が多くなってきたらPolletへの交換を検討しましょう。

クレジットカードをポイントサイト経由で作成

商品の購入に限らず、サービスの申し込み、金融機関の口座開設、クレジットカードの発行、資料請求などでもポイントが貯まります。ネット上で何かの行動する際は、ポイントサイトを経由できないかと常に意識してください。

クレジットカードの新規発行で得られるのは通常数千ポイントで、場合によっては1万ポイント以上のこともあります。クレジットカードを作る際は必ずポイントサイトを経由しましょう。

2-5

Amazonセラーセントラルで商品登録

困ったらAmazon出品大学で確認を

ここからはFBAへの出品手続きや、Amazon倉庫への納品手続きについて解説します。

出品や納品の手続きについては、動画やPDFで詳しく解説したマニュアルコンテンツがセラーセントラル内に用意されています。ページ左側のドロップダウンメニューから「知識と情報」→「Amazon出品大学」を開いて確認してください。

ただしこれらのマニュアルは主に英語での解説となっていますので、本書で解説しているポイントを参考にやってみてください。

商品を新規に登録する

Amazon.comでの出品に必要な準備はすでに完了しました。いよいよ出品に向けた作業を行っていきます。まずは商品登録です。

Amazonに出品するには、売りたい商品をセラーセントラルにて商品登録をする必要があります。その後、登録した商品をAmazonの倉庫に送ると、自動的に出品が開始されます。

ここではセラーセントラルでの商品登録の方法を解説します。

●手順1

セラーセントラルのトップ画面左上にある3本線から【カタログ】→【商品登録】を選びます。

●手順2

商品登録の画面が表示されました。出品しようとしている商品がすでにAmazonで販売されている場合は、既存の商品詳細ページ（ユーザーが見るAmazonのページ）と内容を合わせる必要があります。

そこでまずはAmazon.comで商品詳細ページを開き商品の型番やASINコードを確認します。ASINコードとは、Amazonが取り扱う書籍以外の商品を識別するための10桁の番号のこと。同一商品であれば世界のAmazonで同じASINコードで管理されています。

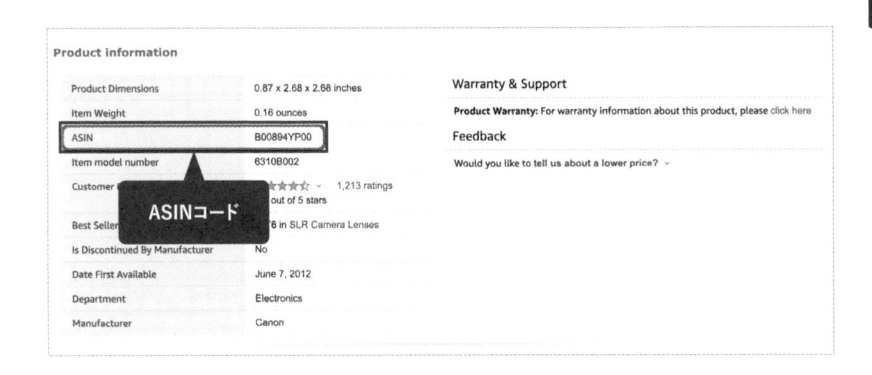

登録したい商品に記載されているASINコードをコピーして、セラーセントラルの検索窓にペーストし、「検索」をクリックしてください。ASINコードがわからない場合は商品名を入力しても検索できます。

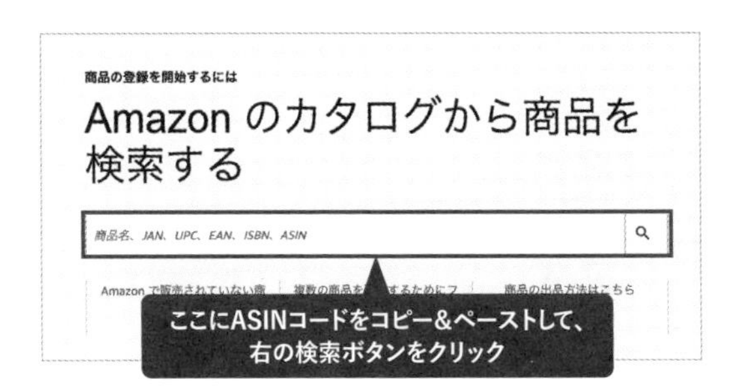

すると商品が表示されます。出品したい商品の情報が正しく表示されていることを確認し、「出品する」をクリックします。

●手順3

価格などの情報を入力していきます。各項目についての説明を下記に記載しました。

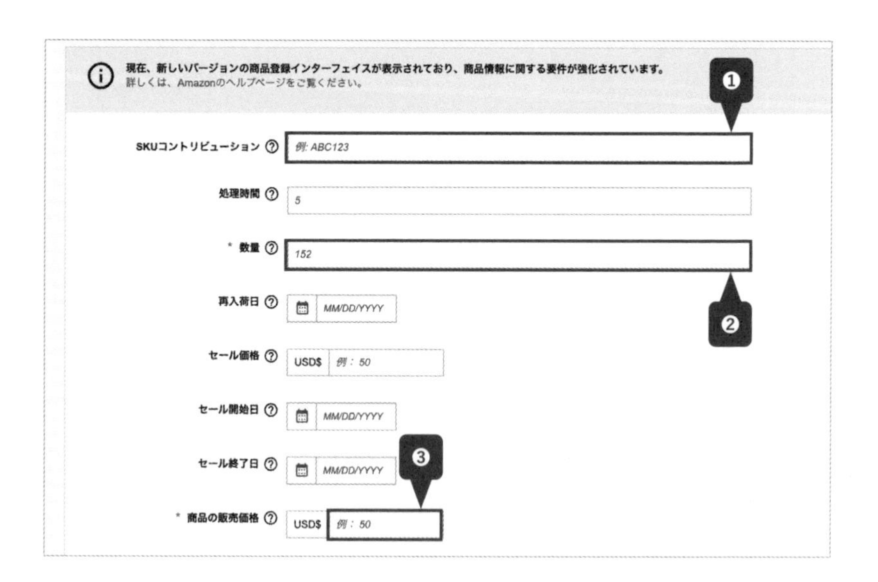

発売日 MM/DD/YYYY

＊提供条件タイプ 例: 新規

提供条件に関する注記 例: 左側のパネルに小さなへこみあり。

❹

物品税コード 例: A_GEN_NOTAX

予約商品の販売開始日 MM/DD/YYYY

最大注文可能個数 例: 20

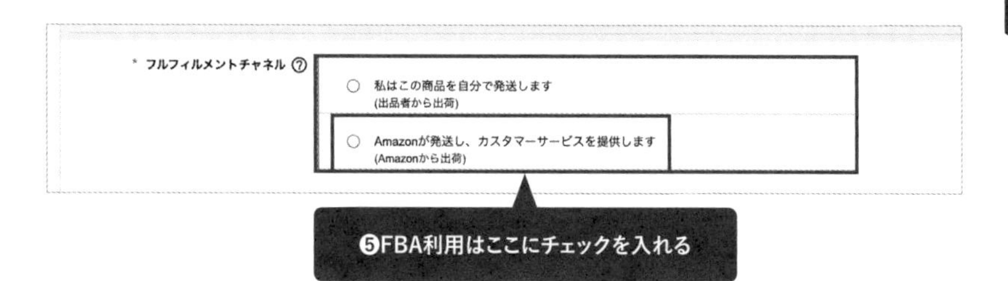

〈❶SKUコントリビューション〉

SKUコントリビューションとは、出品者が商品を管理しやすいように自由に付与できる管理番号です。自分で設定しなくてもAmazonがランダムに番号を振ってくれますが、登録商品が増えてくると管理が大変になってきます。

管理の手間を省くために、仕入れ日や仕入価格などを含めた独自の番号を割り振るとよいでしょう。

〈❷商品の販売価格〉

販売価格は出品者が自由に決められます。利益が出る価格、他の出品者とかけ離れた価格にならないように設定しましょう。価格は後からでも変更できます。

価格はユーザーが商品ページを開いた時に、どの出品者がトップに表示されるのかを決定する大きな要因となりますので、安く設定した方が売れやすいことは確かです。

〈❸提供条件タイプ（コンディション）〉

「新規」「中古 - ほぼ新品」「中古 - 非常に良い」「中古 - 良い」「中古 - 許容可能」から適正なコンディションを選択してください。

一度FBAに商品を納品したら、後から変更はできないので注意してください。

コンディションについてはAmazonのコンディションガイドラインに記載があるので、出品する際は必ず確認するようにしてください。

〈❹提供条件に関する注記〉

コンディションについての詳細な説明をテキストで入力します。詳しくは77ページで解説します。

〈❺フルフィルメントチャネル〉

この項目で、FBAを利用するか自己配送にするかを決定します。FBAを利用するとAmazonプライムの対象商品になるので、商品やショップの信頼度が上がり、売上増加につながります。Amazonでの販売を拡大させていくうえでFBAを使わない手はありません。

FBAを利用する際は、【Amazonが発送し、カスタマーサービスを提供します（Amazonから出荷）】にチェックを入れます。

●手順4

【保存して終了】をクリックすると、商品登録が完了します。商品登録されたかどう確認するには、セラーセントラルの【在庫】ドロップダウンメニューから【全在庫管理】を選択します。

在庫管理の画面に先ほど登録した商品が表示されているはずです。

仕入れる前に必ず確認したい、出品許可申請の有無

Amazonでは商品の安全性や信頼性を確保するために、特定のブランドやカテゴリーの商品の出品を制限しています。

キヤノン、ニコン、ソニー、パナソニック、バンダイスピリッツ、タカラトミーなど、多くのブランドで出品制限がかかっています。制限されている商品を出品したい場合は出品許可申請が必要になります。

セラーセントラルの商品登録画面でASINコードなどを入れて検索し、表示された画面に「出品許可を申請」ボタンがある場合は申請が必要なので、クリックして手続きを開始しましょう。

申請方法は難しくはありません。画面の指示に従って、販売したい商品の請求書を提出するだけです。必要書類をAmazonで審査し、問題がなければ商品を出品できるようになります。場合によっては書類不要でワンクリックで解除できることもあります。

ネットショップでは請求書が発行されないこともあるので、その場合は実店舗にて発行を依頼してみましょう。ビックカメラ、コジマ、ヨドバシ、エディオンなどは店舗によって請求書を出してくれます。

またネットショップでも「後払い」で支払えば確実に請求書を発行してもらえます。

2-6

アメリカのAmazonへ納品

商品をアメリカへ送る

商品登録を終えたら次は納品です。つまり商品を梱包し、段ボールに詰めてアメリカのFBA倉庫に送る作業です。大まかな流れは右ページの図の通りです。

Amazonで販売するには、まず商品をAmazonのFBA倉庫に納品する必要があります。

基本的な納品方法は、セラーセントラル上にあるマニュアル「Amazon出品大学」に出ているので確認しましょう。

例えばFBA倉庫への納品には、パッケージサイズと重量の制限があります。これを順守しないで納品した場合、受け取り拒否、着払いにて返送されることがありますので、事前にしっかりと確認しておきましょう。

本書では、「Amazon出品大学」を一通り確認していただくことを前提に、補足として梱包のポイントや納品時の注意点を解説します。

Amazonへの納品の流れ

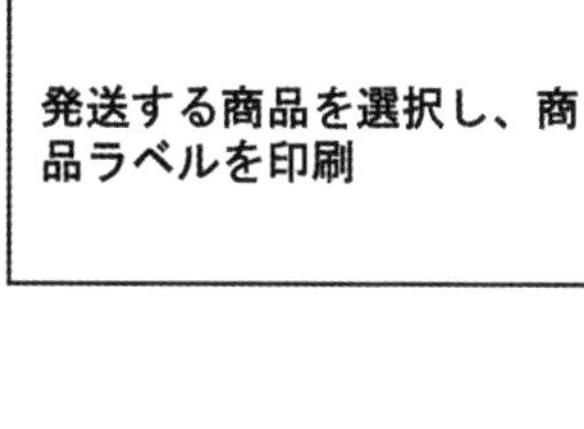

発送する商品を選択し、商品ラベルを印刷

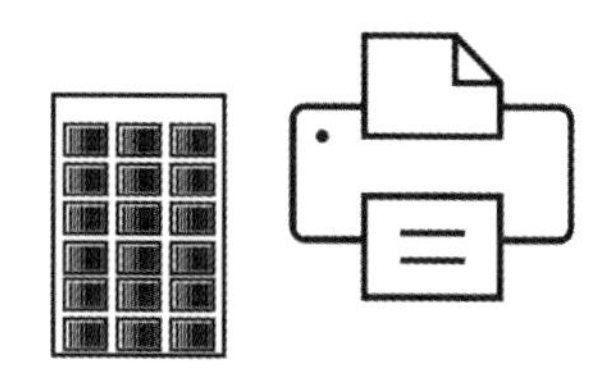

商品に商品ラベルを貼付し、梱包する

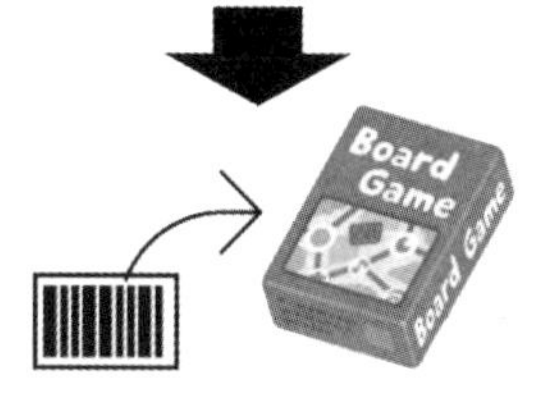

ダンボールに商品を詰める

Amazonセラーセントラル、UGX Amazon FBA相乗り配送サービス（利用する場合）で手続きし、ラベルを印刷

ダンボールに各ラベルを貼付し、発送

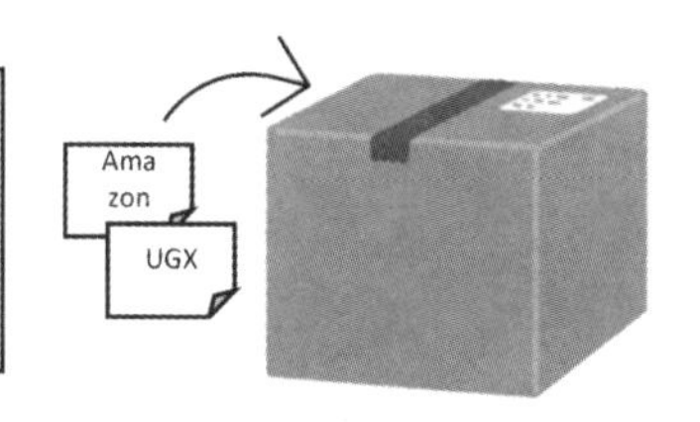

納品作業のために用意しておくもの

納品するにあたって用意しておきたい梱包資材などの備品がありま す。私がいつも使っている備品は以下の通りです。

●OPPテープ「3M スコッチ 梱包テープ 48mm×50m カッター付 型番315DSN」

梱包に欠かせない透明テープ。一度カッター付きを買い、次からはテープのみの6巻パックなどを買えばお得です。夜中に梱包する時などテープの音が気になる場合は、ダイソーの静音タイプOPPテープがおすすめです。

●段ボール（140サイズ）

複数の商品をまとめて段ボール箱に入れて発送・納品するので、段ボール箱も用意する必要があります。納品された段ボール、スーパーマーケットでもらってきた段ボールを再利用しても問題ありません。ちょうど良いサイズのものが手元にない場合は、お近くのホームセンターやネットで購入してください。

大きい箱に多くの商品を詰めることが配送費を安くするコツなので、外寸3辺の合計が計140cm以内の大きい段ボールがおすすめです。私の場合は、佐川急便の段ボール（LLサイズ）をいつも買っています。2023年1月現在の価格は1枚263円です。

商品をFBA倉庫まで送るためだけのものなので、新品の段ボールを使う必要はありません。ただし中古の段ボールを使う際はAmazonのルール（段ボールをつなぎ合わせてはいけない、など）を「Amazon出品大学」で確認してください。

●商品ラベル「エーワン ラベルシール 24面 100シート 型番 80184」

FBA倉庫に送った商品を管理してもらうために、一つひとつの商品にバーコードのラベルを貼る必要があります。そのバーコード専用のラベルシールです。Amazonで24面または40面のものを買うといいでしょう。

●プリンター

商品ラベルと配送ラベルを印刷するためにプリンターが必要です。必ずご用意ください。A4用紙の印刷ができれば十分です。価格.comなどで調べて、売れ筋ランキングの中から安いものを選んで購入してください。

その他、必要に応じて緩衝材や梱包テープ、カッターナイフ、段ボールナイフなどを用意するといいでしょう。納品時に送られてきた緩衝材や段ボール箱も積極的に再利用して、配送にかかるコストをなるべく節約しましょう。

商品を梱包する

●個々の商品を梱包する

一つひとつの商品を梱包します。商品種類別の梱包方法は、Amazon出品大学で解説されていますので、よく確認してください。

ここでは、特に注意したい中古カメラ・交換レンズの包み方を解説します。

中古カメラやレンズは精密機器です。精密機器を海外に配送するには、国内の仕入れ先から納品された時よりも丁寧に梱包する必要があります。

中古カメラやレンズを仕入れると、外箱なしで送られてくることが多いです。箱のない商品はエアクッションをミイラのように何重にもグルグル巻きにして梱包してください。カメラやレンズは数万円以上する高額品なので、やり過ぎぐらいに梱包しても問題ありません。

外箱がある商品はそれを生かします。商品を緩衝シートなどで包み、外箱に入れ、念のため、外箱自体をエアクッションで包みます。

カメラの外箱もエアクッションで包む

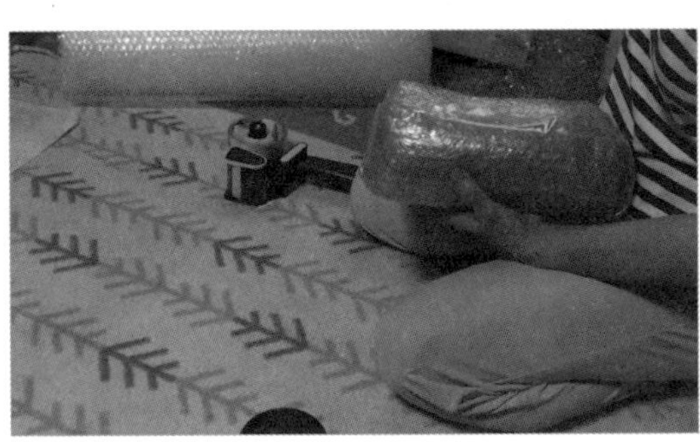

エアクッションでグルグル巻きにしたレンズ

●商品にラベルを貼る

セラーセントラルで出力し、ラベルシールに印刷したラベルを商品に貼ります。

●商品を段ボールに詰める

次に商品を段ボールに詰めます。この時に使用できる緩衝材はクッション、エアキャップ、紙に限ります。バラ状発泡スチロールやシュレッダー済みペーパーは使用不可なので注意してください。

また、梱包に使用したカッターナイフやハサミの混入は、作業者や購入者への安全に関わるため、出品者のアカウントヘルス低下やアカウント停止につながりかねません。梱包の際に必ず確認してください。

段ボールに詰める際は、まず大きな箱モノを詰めてからカメラ系を詰め、さらに空いたすき間に小さな商品を詰めます。商品をパズルのように組み合わせてすき間がないように詰めてください。

140サイズの段ボールを使って20kg以内で送ることが送料のコストパフォーマンスを高めるポイントなので、140サイズでぴったり20kgに近づけることを意識して箱詰めしていきましょう。

小さめの商品、大きめの商品、中古カメラをバランスよく仕入れておけば、それらを柔軟に組み合わせて箱詰めができます。

商品を段ボールに詰めたら、梱包テープでフタをします。段ボールのフタにすき間がないよう「H字」状にしっかりとテープを貼ってください。

段ボールは隙間なくテープで留める

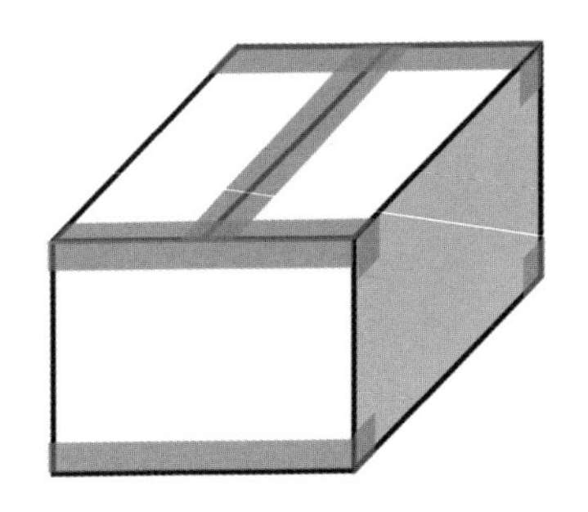

セラーセントラルで納品プランを作成する

梱包が済んだら、その商品を納品する手続きをセラーセントラルで進めていきます。

●手順1

セラーセントラルの「在庫管理」画面で、梱包が済んだ商品の横にあるチェックボックスにチェックを入れ、ドロップダウンメニューから【在庫商品を納品／補充する】を選びます。

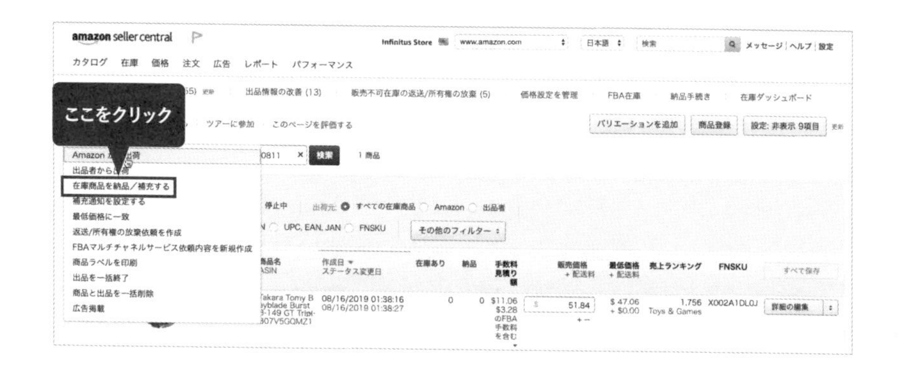

●手順2

次の画面で、【はい、続けます】をクリック。納品プランの内容が表示されます。サイズの異なる複数の商品が混ざっていると、納品プランが2つに分かれることもあります。FBAの設定で納品する場所をなるべく1つにまとめる設定をしておくと、納品場所は基本的に1カ所になります。

梱包の詳細・情報・数量（納品数に応じて）を入力します。

●手順3

梱包の詳細・情報・納品数に応じて数量（納品数に応じて）を入力します。商品ラベルをこのタイミングで印刷することができます。

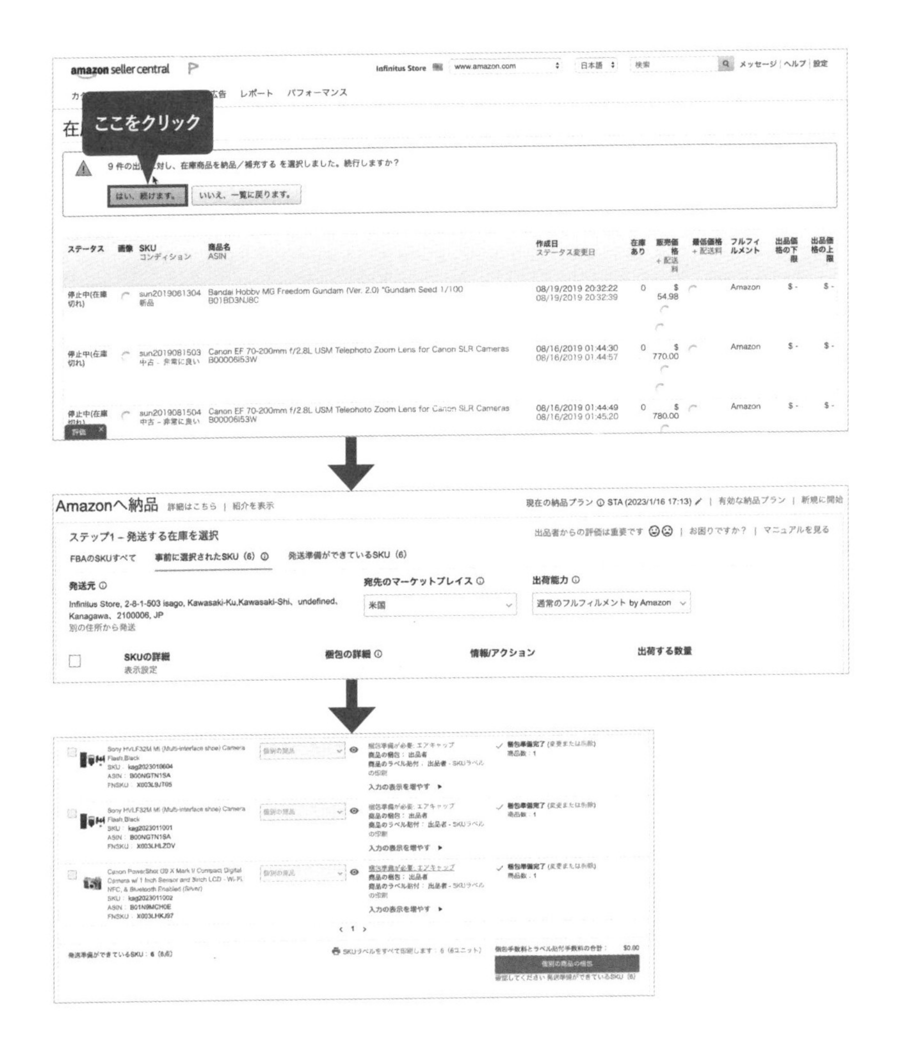
amazon seller central
Infinitus Store
www.amazon.com
日本語
メッセージ | ヘルプ | 設定
広告 レポート パフォーマンス
ここをクリック
9 件の出品に対し、在庫商品を納品／補充する を選択しました。続行しますか？
はい、続けます。
いいえ、一覧に戻ります。
ステータス 画像 SKU コンディション 商品名 ASIN 作成日 ステータス変更日 在庫あり 販売価格 + 配送料 最低価格 + 配送料 フルフィルメント 出品価格の下限 出品価格の上限
停止中(在庫切れ) sun2019081304 新品 Bandai Hobby MG Freedom Gundam (Ver. 2.0) "Gundam Seed 1/100 B01BD3NJ8C 08/19/2019 20:32:22 08/19/2019 20:32:39 0 $ 54.98 Amazon
停止中(在庫切れ) sun2019081503 中古 - 非常に良い Canon EF 70-200mm f/2.8L USM Telephoto Zoom Lens for Canon SLR Cameras B00006I53W 08/16/2019 01:44:30 08/16/2019 01:44:57 0 $ 770.00 Amazon
停止中(在庫切れ) sun2019081504 中古 - 非常に良い Canon EF 70-200mm f/2.8L USM Telephoto Zoom Lens for Canon SLR Cameras B00006I53W 08/16/2019 01:44:49 08/16/2019 01:45:20 0 $ 780.00 Amazon
Amazonへ納品 詳細はこちら | 紹介を表示
現在の納品プラン STA (2023/1/16 17:13) | 有効な納品プラン | 新規に開始
ステップ1 – 発送する在庫を選択
出品者からの評価は重要です | お困りですか？ | マニュアルを見る
FBAのSKUすべて 事前に選択されたSKU (6) 発送準備ができているSKU (6)
発送元
Infinitus Store, 2-8-1-503 isago, Kawasaki-Ku,Kawasaki-Shi、undefined、Kanagawa、2100006, JP
別の住所から発送
宛先のマーケットプレイス
米国
出荷能力
通常のフルフィルメント by Amazon
SKUの詳細
表示設定
梱包の詳細
情報/アクション
出荷する数量
入力の表示を増やす
梱包準備完了
発送準備ができているSKU：6 (6/6)
SKUラベルをすべて印刷します：6 (6ユニット)
個別の商品の梱包

●手順4

次に輸送箱のサイズ・重量・出荷日・輸送箱の個数を入力し、配送モードを選択します。複数の箱をまとめて送る時は、それぞれの箱に何が入っているのかを入力します。

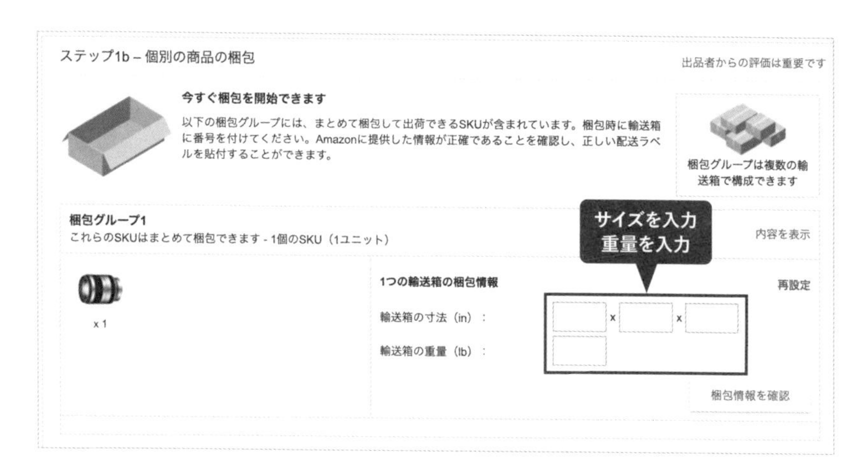

●手順5

配送業者を選択します。ここで必要なことは、発送業者にFBAパートナーキャリアではなく、「Amazon以外の提携運送業者」を選び、FedExを指定することです。相乗りサービスは全部FedExで発送されます。

配送業者を選択
UPS (Amazon パートナー キャリア) は、配送場所間で利用できません。
UPS（Amazon提携運送業者）※
Amazon以外の提携運送業者
追跡情報を提供する必要があります
携帯通信会社を選択
FedEx
それらはどのように輸送されますか？
Air
「FedEx」を選択
「Amazon以外の提携運送業者」を選択

●手順6

料金を確認して、配送ラベル（箱のラベル）を印刷します。FBAの納品ラベルがPDFで表示されるのでこれを印刷してください。

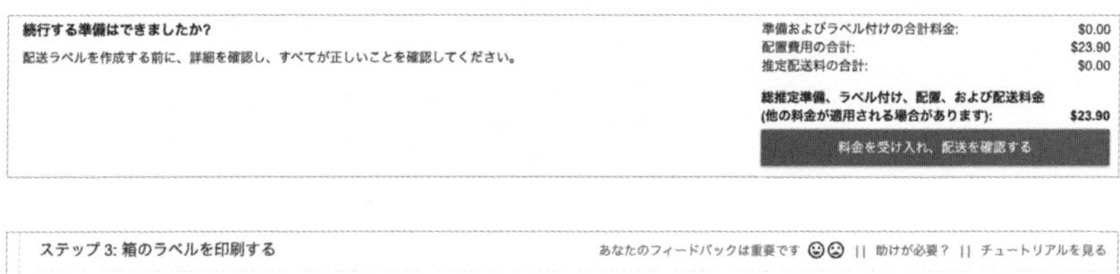
続行する準備はできましたか?
配送ラベルを作成する前に、詳細を確認し、すべてが正しいことを確認してください。
準備およびラベル付けの合計料金: $0.00
配置費用の合計: $23.90
推定配送料の合計: $0.00
総推定準備、ラベル付け、配置、および配送料金
(他の料金が適用される場合があります): $23.90
料金を受け入れ、配送を確認する

ステップ 3: 箱のラベルを印刷する
あなたのフィードバックは重要です || 助けが必要？ || チュートリアルを見る
発送元：川崎市川崎区磯子2-8-1-503 インフィニタスストア、未定義、神奈川県、2100006、日本
出荷日：2023年1月18日水曜日 発送日変更
1件の出荷が確認されました
箱のラベルを印刷すると、出荷は「出荷準備完了」ステータスに変わります。
出荷 #1
コンテンツの表示または編集
出荷名: FBA STA (2023 年 1 月 17 日 09:31)-FTW1 名前を変更
出荷ID: FBA170P612KV
Amazon参照ID：–
発送元：川崎市川崎区磯子2-8-1-503 インフィニタスストア、未定義、神奈川県、2100006、日本
送り先：FTW1-33333 LBJ FWY 75241-7203-ダラス、TX-アメリカ
出荷内容: ボックス: 3、SKU: 32、ユニット: 50
箱のラベルを印刷する
3-1/3インチ X 4インチ (USレター)
印刷する
今回の発送状況は
ここをクリック

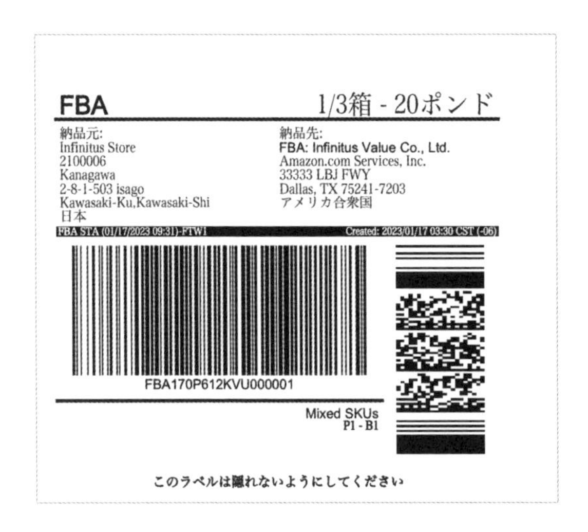

ここまできたら、セラーセントラルからの納品手続きは終了です。

次は何ですか？

1. 正しい FBA ボックス ID ラベルを各ボックスに貼り付けます。
2. 配送業者と協力して、箱の配送業者ラベルを作成します。
3. 配送業者に箱を引き渡します。次のステップで必要になるキャリア追跡 ID を書き留めます。

コストの概要

準備およびラベル付けの合計料金: $0.00
配置費用の合計: $23.90
推定配送料の合計: $0.00

総推定準備、ラベル付け、配置、および配送料金 (他の料金が適用される場合があります): $23.90

追跡情報の入力に進む

UGX Amazon FBA相乗り配送サービスで配送

次に、箱詰めした商品をアメリカのFBA倉庫に送ります。送る方法はいろいろありますが、私は「UGX Amazon FBA相乗り配送サービ**ス」を使っています。**

最寄りの郵便局から、日本郵便の「UGXセンター」に荷物を送るだけで、通関に必要な書類作成などの手間なく、アメリカ、カナダ、イギリス、オーストラリア、ドイツ、シンガポールのAmazon倉庫へ直送できるサービスです。簡単かつ安全に発送できるだけでなく送料が安いというメリットがあります。

支払い方法は「後納払い」と「PayPal」が選べますが、集荷・国内送料が無料になる後納払いがだんぜんおすすめです。UGXの新規アカウントの登録は簡単にできるのでここでは省略し、配送手続きの手順を解説します。

○UGX Amazon FBA相乗り配送サービス
https://aroundthe-world.net/web/ugx-amazon/

●手順1

ユーザーアカウント画面にログインして、「アメリカAmazon向け」を選んで【次へ】をクリックします。

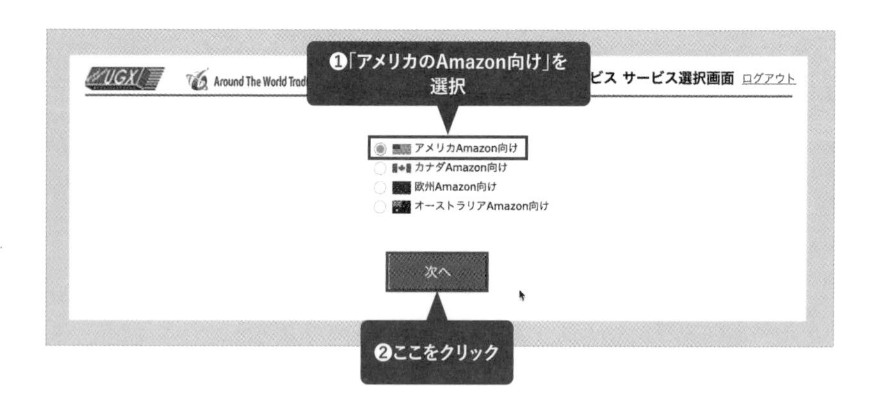

●手順2

ログインした後に、次のような画面が表示されます。各項目を入力していきましょう。

まずAmazonセラーセントラルの画面でダウンロードしておいた

「SKUリスト」をここで使います。【SKUリスト（tsvファイル）読み込み】ボタンをクリックし、SKUリストをアップロードします。

すると、右ページの図のように納品しようとしている商品が一覧表示されます。この「申告価格（円/個）」の欄に仕入価格（税抜価格）を入力します。同じ商品を複数送る場合は、入力するのは合計金額ではなく1個当たりの単価です。

商品名	ASIN	JANコード	数量	申告価格（円/個）	生産国 一括入力
3andai Hobby MG Freedom Gundam (Ver. 2.0) "Gundam Seed 1/100	B01BD3NJ8C	5903271468669	5	3086	JAPAN
anon EF 70-200mm f/2.8L USM Telephoto Zoom Lens for Canon SLR Cameras	B00006I53W	0082966213151	1	61008	JAPAN
anon EF 70-200mm f/2.8L USM Telephoto Zoom Lens for Canon SLR Cameras	B00006I53W	0082966213151	1	64630	JAPAN
ny - E 10-18mm F4 OSS Wide-angle Zoom Lens (SEL1018)	B0096W1ONK	0027242856868	1	58148	CHINA
ny - E 10-18mm F4 OSS Wide-angle Zoom Lens (SEL1018)	B0096W1ONK	0027242856868	1		CHINA
igma 17-50mm f/2.8 EX DC OS HSM FLD Large rture Standard Zoom Lens for Canon Digital DSLR Camera	B003A6H27K	5554442339808			

ここで入力した価格をもとに関税が計算されます。**そのため、「仕入価格を低く申告すれば税金が安くなるのでは？」などと考えてしまうかもしれませんが、絶対に止めてください。**税関で見つかり追徴課税を支払わされることになります。

また、各商品の「生産国」をドロップダウンメニューから選びます。生産国は、商品本体や説明書などにある「MADE IN JAPAN」「MADE IN CHAINA」などの記載から把握できます。

「UGXの保険の有無」は任意です。何らかの事故で荷物の紛失があった場合に、保険を掛けておけば仕入れ金額が戻ってきます。飛行機便で事故が起こることはほとんどないため、私は加入しないことが多いです。

ただ、カメラのレンズなど高級品を多数送る際には、念のため加入します。「申告価格が50万円を超える場合は保険に加入する」などとルールを決めておくといいでしょう。

「消費税輸出免税額書類」については、後からまとめて依頼できるので「依頼しない」にチェックで構いません。

「1箱のサイズ」の欄は、Amazon既定箱サイズに当てはまればチェックします。私は常に「140サイズ」の既定サイズの箱を利用することが、配送料を最適化できるベストな選択だと思っています。

最後に「利用規約に同意する」にチェックを入れて、【UGX送り状作成画面へ】をクリックします。

UGX送り状作成手続きの画面に移ります。まず総重量を「g」で入力します。箱詰めした後に体重計で測ればいいでしょう。箱のサイズも入力し、【UGX送り状作成】をクリックします。送り状のPDFをダウンロードできます。

UGX送り状作成手続き

出荷する箱数: 1

総重量: 13054 g

サイズ（親箱）: 58 cm X 42 cm X 40 cm

配送できない場合: 返送 破棄

UGX送り状作成

ここをクリック

ダウンロードした送り状をプリントアウトします。

料金後納 UGX ゆうグローバルエクスプレス

JAPAN POST

AA000316711JP
JPAR006071(FBA15HRLJBFB)

お問い合わせ番号: AA000316711JP

From (Shipper) Date 2019/08/26
Hiroshi Tamura
2-8-1-503 Isago
Kawasaki-Ku
Kawasaki-shi

City Kanagawa Postal Code 2100006
Tel 08017324504
E-mail info@infinitusvalue.com

To (Consignee)
JP UGX Center
c/o Around the world
8-23-23
Fujiwara
Funabashi-shi
City Chiba Postal Code 2730047
Tel +81-3-5542-0411
E-mail info@aroundthe-world.net
Country Zone2) USA UGX ATW_FBA

☑ 荷主は、内容品に危険物が含まれないことを確認済です。
Shipper's Signature（署名）

Total Weight（総重量） 13,054 g
Dimension（サイズ） 58 × 42 × 40 cm
Payment for Duty and Tax（関税等の支払方法） Shipper pays
Service（サービス） non-document
Special Handling（付加サービス） Authorized
Pieces（個数） 1/ 1
Instructions in case of non-delivery（配達できない場合の取扱） Return
Description of contents（内容品詳細） Please see attached invoice
Value（価格） JPY 321,863
Declared Value for Carriage（損害要償額） JPY 10,000
Declared Value for Customs（税関申告価格） JPY 321,863

【社員確認用】送付先：東京国際郵便局UGX係 ☐

箱にラベルを貼って発送

最後の仕上げです。商品を詰めた段ボール箱に、まずFBAのラベルを貼ります。私の場合は、梱包用透明テープで貼り付けています。

次にUGXのラベルを貼ります。UGX Amazon FBA相乗り配送サービスの契約者は専用パウチを使うといいでしょう。専用パウチは「UGX Amazon FBA相乗り配送サービス」のユーザー画面から請求できるので、あらかじめ複数枚請求しておきましょう。

このパウチにUGXの送り状を半分に折って挿入し、段ボールに貼り付けます。

最後に段ボール箱にラベルを貼る

後納契約している郵便局の窓口に持っていくか集荷を依頼しましょう。これで発送は完了です。

数日後、Amazonに商品が届いたら、Amazon担当者がバーコードを読み取り、納品作業を行います。そして納品が完了すると同時に、自動的にAmazonのページへ出品されることになります。

その後、商品が注文されたら、Amazonが自動的にユーザーの元に届けてくれるというわけです。

2-7

出品時のコンディション説明の記載方法

コンディション説明はテンプレートで対応

Amazonで中古商品を登録する際には、コンディションを説明する文を書く必要があります。コンディション説明の文章は下記のように商品販売ページに掲載されます。この内容をユーザーが読んで判断し、商品を購入するわけです。

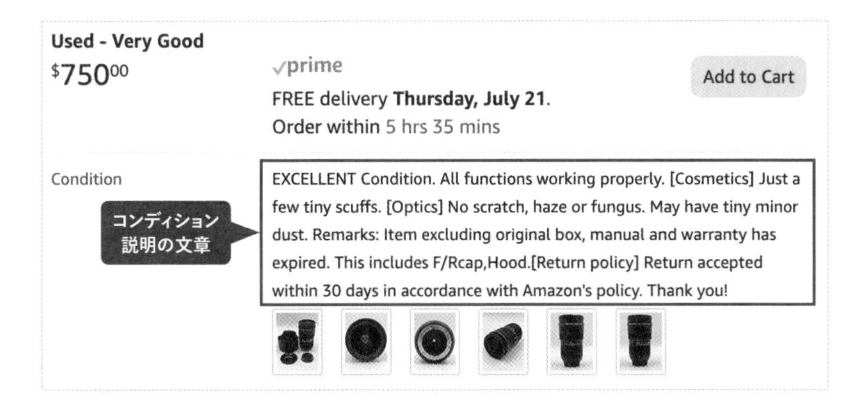

日本のAmazonでも、中古商品には必ずコンディションの説明文が記載されています。日本とアメリカの違いは、アメリカの方がよりシンプルに記載されている点です。アメリカのユーザーは、商品コンディションへのこだわりが日本のユーザーよりも薄いのだと考えられます。

したがってアメリカのAmazonに出品する際には、本当にシンプルに記載することが大切です。下記は中古カメラレンズ（元箱・説明なし）のコンディション文の一例です。

中古レンズのコンディション説明文

指示記号	コンディション
VG (Used - Very Good:非常に良い)	EXCELLENT Condition. All functions working properly. [Cosmetics] Just a few tiny scuffs. [Optics] No scratch, haze or fungus. May have tiny minor dust. [Return policy] Return accepted within 30 days in accordance with Amazon's policy. Thank you! [状態]優秀!! [機能]正常に動作します。[外観]わずかなスレキズあり。[光学系]傷、曇り、カビなし。わずかなチリあり。[返品ポリシー]返品はAmazonの方針に従って30日以内に受け付けます。ありがとうございました!
G (Used - Good:良い)	Very good Conditions. All functions working properly. [Cosmetics] Some minor scuffs. [Optics] No scratch, haze, or fungus. Ma have minor tiny dust. [Return policy] Return accepted within 30 days in accordance with Amazon's policy. Thank you! [状態]良好!! [機能]正常に動作します。[外観]スレキズあり。[光学系]傷、曇り、カビなし。わずかなチリあり。[返品ポリシー]返品はAmazonの方針に従って30日以内に受け付けます。ありがとうございました!

このような文章をパソコン上のメモ帳などに保存しておき、テンプレートとして毎回使うとよいでしょう。

英語がわからなくても、Google翻訳などで英訳した文章を使えば問題ありません。他のセラーが出品している中古商品のコンディション文も参考にし、いろいろな商品・状態に対応できるテンプレートを用意しておくと、商品登録作業をスムーズに行えるようになります。

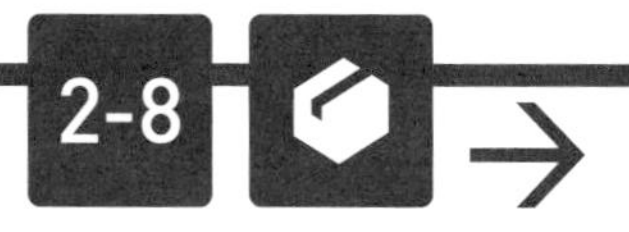

海外発送における送料マネジメント

送料を含めて利益を計算する

海外輸出ビジネスで利益を出すために非常に重要なのが、送料マネジメントの考え方です。海外への送料は、当然ですが国内向け送料よりも大幅に高くなります。送料を差し引いてもなお利益が出せるように、安く仕入れて高く販売する必要があります。

「140サイズ」の段ボール箱1箱に商品を詰めて、UGXを利用して発送した場合の送料は3万円ほどです。数年前までは1万円台前半でしたが、燃料費の高騰や円安などの影響もありだいぶ値上がりしました。

UGX北米向け運賃料金表(2023年1月末時点)

5.0kg	¥17,250
10.0kg	¥28,750
15.0kg	¥40,750

「140サイズ」の箱にどれくらい入るかというと、カメラのレンズなら7～10本程度です。そしてレンズを入れた後にできたすき間に、おもちゃなどの小さい商品を詰め込んで梱包します。

送料3万円でレンズ10本分ですから、1本当たり3,000円の送料を見込んで仕入れ・販売する必要があるということです。おもちゃなどの低価格・軽量な商品は、段ボールのすき間を埋め、高額商品のついでに発送するものとしてとらえ、送料は無料と考えます。

140サイズの箱に商品を詰め込んだ様子

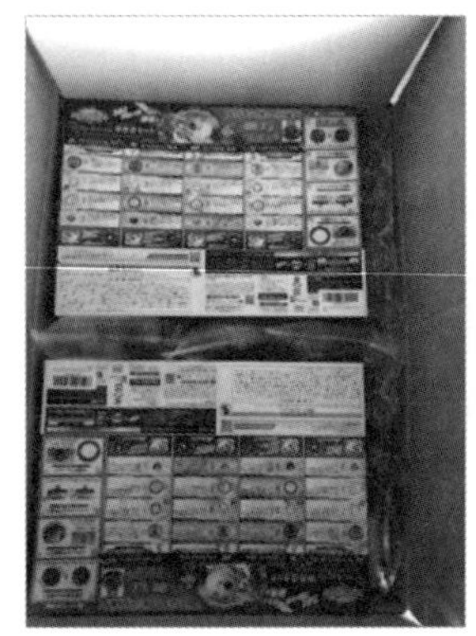

1箱送った場合の利益イメージ

上記のような商品の組み合わせで1箱送った時の、売上・費用・粗利のイメージは次のようになります。

販売価格－仕入価格－送料3万円－関税－Amazonの手数料＝2～3万円

週に1回、1箱を発送して2～3万円の粗利なら、毎月10万円以上の収入になりますね。さらに規模を拡大し、1箱ではなくまとめて2箱、3箱と送れば、キログラムあたりの送料は安くなり、より多くの粗利を出すことも可能になります。

このように考えると、やはり費用のなかで大きな割合を占めるのが送料です。**送料をいかに抑えるかが、利益を出すための重要なポイン**

トになります。

他の組み合わせではどうか？

これまで説明した通り、私のなかでは、

「140サイズの段ボールに、デジタルカメラ本体やレンズを7～10個入れ、すき間におもちゃを詰める」

が、長年の経験のなかで編み出した最適な組み合わせとなっています。送料を最適化し利益を最大化する組み合わせとしてこれ以上のものは見つかっていません。

では、カメラなどを含めずに、おもちゃやプラモデルなどの軽い商品だけを箱に詰めて送ったらどうなるでしょうか。

段ボール箱1箱に詰められる、おもちゃやプラモデルなどの箱の数はおおよそ4～24個です。

UGXの配送料は総重量によって決められています。一度に送る重量が多くなるほど、kgあたりの送料が安くなるので、軽いものを送る時は一気に10箱などを送った方が送料の節約になります。

しかし、おもちゃやプラモデルは一つひとつの商品の単価が安いため、得られる粗利も大きくはありません。

送料が高騰している現在、おもちゃなどのサイズが大きく単価の低い商品だけを送って利益を出すには、相当数の大量仕入れ・大量発送をする必要があるといえます。

送料を最適化し利益を最大化するには、サイズが小さく、できるだけ軽く、かつ単価の高い商品を1箱にたくさん詰めて送ることがポイントになります。そう考えるとやはり、カメラやレンズなどの商品が適しているといえるのです。

Amazonでの販売に慣れてきたら、いろいろな商品を送ってみて、利益を最大化できる商品の組み合わせを試行錯誤してみるのもよいでしょう。

しかし慣れるまでは、「140サイズの段ボールに、デジタルカメラ本体やレンズを7〜10個とおもちゃを入れて20kg」という鉄板の組み合わせに徹することをおすすめします。

関税がかかるかどうかは「運」次第

配送費用のうち、やっかいなのが関税です。何がやっかいかというと、アメリカの税関の気分次第で、取られたり取られなかったりするからです。

おもちゃは基本的に関税を取られませんが、カメラやレンズなどの重い商品や、仕入価格が高い商品を送った場合は、箱を空けて中身を調べられたうえで、関税を徴収されることが多いです。

ただし、まったく同じ組み合わせで商品を送っているのに、関税を取られないこともあります。本当にあちらの気分次第です。

税率は仕入価格の1〜3%ほどと、明確な水準があるわけではありません。中国製品は関税がもう少し高くなることもあります。

したがって、「**関税は最大3%かかるもの（かからなかったらラッキー）**」ととらえて、関税を加味しても利益が得られるように計算したうえで、仕入れ・販売を行うことが大切です。

Chapter

3

Amazon輸出ビジネス・実践編（在庫管理、仕入れ）

Amazonで物販ビジネスをスタートさせる具体的な手順を説明してきましたが、ここからは在庫管理と仕入管理、仕入れのノウハウをお伝えしておきます。大きな利益を生むために必要なのはまず、お金の動きに注意しながら、自分の足元をしっかり見定めることです。ビジネスの初歩ともいえる部分なので、この章でしっかり学んでおきましょう。

3-1

資金管理を徹底し、利益を最大化する方法

お金を稼ぐ力よりも守る力

Amazon輸出物販で利益を得るには、まず仕入れをする必要があります。仕入れ代金を現金や銀行振り込みで支払う場合には、仕入れた瞬間に現金が減ります。

クレジットカードで仕入れを行うなら現金がすぐに出ていくことはありませんが、それでも約1カ月半後には銀行口座から引き落とされます。 このようなお金の流れを、「何となく」ではなく「しっかりと」把握する必要があります。

物販を始めて、稼げるようになる人はたくさんいます。シンプルで取り組みやすく再現性が高いビジネスですから、正しいノウハウを実践すれば、誰がやっても稼げるようになります。

ただし、「稼ぐ力」だけを身につけて、「お金を守る力」を身につけられる人が少ないのが実情です。

物販で稼げるようになっても、お金を守る方法をセットで実践しなければ、全然お金が貯まらなかったり、場合によっては自己破産に至ったりすることもあります。

「まだ物販で稼いでもいないのに、守ることまで考えられない」という人もいるかもしれません。確かにその通りなのですが、稼げるようになってから守りを意識するのは逆に難しいというのが私の実感です。

それに、最初から「守る力＝資金管理」を意識しながら事業を展開すれば、堅実に物販ビジネスを推進できるため、より稼ぎやすいといえます。

物販ビジネスに取り組むうえで、資金管理は避けては通れない必修科目です。これから説明するスキルを必ず身につけるようにしてください。資金管理は大まかに以下の3つの要素に分かれます。

❶支出管理
❷仕入れ管理
❸資金回転

それぞれ説明していきましょう。

❶支出管理

支出管理は物販スタートの段階で一番大事な資金管理の要素です。支出管理において初めにやるべきことは、「毎月の支出を書き出してみること」です。それは、毎月家計からいくらのお金を使っているのか、自分の支出状況を把握するためです。

支出には大きく分けて固定費と変動費の2種類があります。

- 固定費：毎月一定額がかかり、自己管理では調整しづらい費用。家賃、住宅ローン、光熱費など。
- 変動費：毎月かかるものの金額に変動があり、自己管理である程度の調整が利く費用。

このうち、固定費をいきなり減らすことは難しいのですが、変動費は工夫次第で減らすことが可能です。

ちなみに次の表は、私が会社員時代、副業として物販に取り組んでいた時のある月の収支です。

副業関連経費と生活費、貯蓄の天引き、借金返済で約97万円の支出となっています。それに対して給与収入は33万円でした。貯蓄は正確には支出ではありませんが、毎月必ず天引きする額を決めていたので、その分のお金が普通預金から出ていくことには変わりありません。

著者（田村）の毎月の支出表（会社員時代）

支出内訳		
品名	仕入れ値	使用カード
副業関連		
ブライスター	¥4,800	UC
FBA代行手数料	¥100,000	ゆうちょ
Amazon月間登録料	¥4,900	JNB
小計	¥109,000	
家、オフィス関連		
マンションローン	¥100,000	みずほ
光熱費	¥15,000	楽天カード
食費	¥100,000	みずほ
その他娯楽費	¥100,000	JNB
オフィス賃料	¥67,000	JNB
オフィス光熱費、インターネット、携帯	¥20,000	SumiTrust
小計	¥402,000	

車関連		
車ローン	¥65,000	JNB
駐車場	¥22,000	JNB
ガソリン	¥20,000	楽天カード
保険	¥7,000	みずほ
車検積立	¥10,000	みずほ
小計	¥124,000	
貯金関連		
積立	¥130,000	楽天カード
積立	¥24,000	楽天カード
積立	¥60,000	楽天カード
小計	¥214,000	
総計	¥849,700	

本業収入(ボーナス分割前提)	副業で最低稼ぐべき収入
¥330,000	¥519,700

上記のような簡単な表でいいので、毎月の支出を書き出して記録しましょう。

毎月いくらの収入があり、それに対していくらの支出になっているのか。黒字が続いているのか、それとも赤字なのか。貯蓄はきちんとできているのか。物販ビジネスの仕入れにいくら使い、いくらの売上が入ってくるのか。これらを正確に把握することで、お金に対する意識が変わってきます。「お金がない」「老後の生活が心配」などという人は多いのですが、そういう人ほど現状を把握していません。現状がわからないから、何となく不安になってしまいます。**しっかりと現状に向き合えば、課題ややるべきことが明確になるので、漠然とした不安は解消されます。**

●「何となく稼いでいる」を脱する

物販ビジネスを始めると、通常の生活費よりも大きな金額を動かすようになります。仕入れに使うお金は毎月数十万円になるからです。その一方で、仕入れ額に応じて多額の売上金も入金されます。

日常で出入りするお金が増えると、なんだか自分がお金持ちになったように錯覚して気が大きくなってしまい、資金管理がゆるくなる人もいます。何にいくら使ったかを、細かく把握しなくなるのです。

私も実際にそのような経験をして痛い思いをしました。物販で稼げるようになった時にはまりやすい落とし穴です。

物販で大きく稼ぐには資金力が大きな鍵を握ります。つまり資金をたくさん持っていればいるほど、稼ぎやすいということ。最初に多額の自己資金を用意できないのであれば、まずは物販で少しでも稼ぎ、その稼いだお金を確実に次の仕入れに回して、少しずつでも動かせる資金の額を増やしていく必要があります。

少し稼いだくらいの段階で安心して浪費しているようでは、ビジネスを大きくすることはできません。浪費を防ぐためにも、毎月の支出をきちんと把握する必要があるのです。毎月の支出を把握すれば、今月は物販でいくら稼いだのかが明確にわかりますよね。

何となく稼いで何となく増やすのではなく、毎月のお金の流れを明らかにして、少しずつでも着実に、資金力を高めビジネスを大きくしていく必要があるのです。

ビジネスとしてやる以上、副業であっても経営者です。経営者であるなら、お金の流れを把握するのは当然のこと。その第一歩として、支出の管理から始めてみてください。

❷仕入れ管理

次は仕入れ管理です。**輸出用の商品を国内で仕入れる際、支払いは**

現金ではなくクレジットカードを使った方がいいでしょう。なぜなら、クレジットカードは無金利で多額の支払いに使え、さらに実際のキャッシュアウトを1、2カ月先延ばしできる便利なツールだからです。現金だけで仕入れをしていると、現金が底を突いたらもう仕入れができなくなってしまいますが、クレジットカードで仕入れをするならその心配はありません。現金がなくとも、必要な時にすぐに仕入れができます。

その商品をスピーディーにAmazonに納品し、販売すれば、クレジットカードの引き落としよりも前に一部の売上金を回収することも可能です。

ちなみにAmazonからの売上入金は14日に1回。そこで仕入れにクレジットカードを利用して、実際のお金の支払いを後ろにずらすことで、キャッシュフローが非常に楽になります。

●支払いサイトが長いカードを使う

クレジットカードを利用する際のポイントは、支払いサイト（期間）の長いカードを使うことです。

仕入れた商品がすぐに売れれば、Amazonからの売上入金も早くなり、クレジットカード代金の支払いには困りません。しかし、そんなに速やかに売れるとは限らないのが実際のところです。

なぜなら仕入れてから納品準備をして、梱包・発送して、FBAの倉庫に到着して販売がスタートし、注文が入ってからようやく売上が立つからです。慣れている人がかなり急いで作業しても、仕入れてから売上までは最低10日ほどはかかります。さらには、すぐに注文の入らない商品を仕入れてしまったら、仕入れから売れるまで1カ月以上かかることもあります。

仕入れてから売れて、売上が入金されるまでの期間が読めないわけ

ですから、仕入れ代金の支払い（銀行口座からの引き落とし）は、できるだけ遅らせた方がいい。だからこそ、支払いサイトの長いカードを使った方がいいのです。

では、7月23日に仕入れをするとした場合、下記2枚のカードのうちどちらを使うのがいいでしょうか？

- Aカード　20日締め・翌月10日支払い
- Bカード　月末締め・翌月26日支払い

Aカードを7月23日に利用すると、翌8月20日に今月の利用額が集計され、9月10日に銀行から引き落とされます（利用から支払いまで49日）。一方のBカードを7月23日に利用すると、7月31日に今月の利用額が集計され、8月26日に銀行から引き落とされることになります。（利用から支払いまで38日）

したがってAカードで支払った方がよいという結論になります。いちいちこのような計算をしなくても、「**締め日直後のカードを使うと、支払日までの期間が長い**」と覚えておくと簡単です。

クレジットカードの締め日は、ほとんどが「15日締め」「20日締め」「月末締め」のいずれかです。これらの締め日が異なるカードをバランスよく持つことをおすすめします。

そして、「**今日は16日だから、15日締めのカードを使おう**」「**今日は1日だから月末締めを使おう**」という感じで使っていくようにしましょう。それがキャッシュフロー向上のための原則といえます。

●支払日と限度額を把握する

各カードの支払日についてもきちんと把握しておく必要があります。

一番やってはいけないのが、口座内に十分な残高がなく、クレジットカード利用代金の引き落としができない事態に陥ることです。

支払い遅延による余計な手数料が発生するばかりか、支払いが完了するまでクレジットカードの利用を停止されることもあります。

また、信用に傷が付くことが何よりも大きなダメージです。

クレジットカード会社はカード利用者の信用に応じて利用金額の枠を与えています。信用が高い人は使える枠が大きく、低い人は使える枠が少なくなります。

残高不足などで一度引き落としができないという事態があると、その人の信用力は低下したと判断され、利用限度額が大幅に減らされてしまうことがあります。

さらに、支払い完了までの期間が長引くと、クレジットカード会社や銀行などの間で共有されている信用情報に「事故」の記録が付くことになります。そうなると、新規クレジットカードの作成や住宅ローンなどの借り入れができなくなってしまうなど、ビジネスだけでなく生活面にも影響が出ます。

クレジットカードは便利なので仕入れの際に積極的に使うべきなのですが、支払いの管理は徹底しなければならないということです。具体的には、

- クレジットカードを使った場合、どのカードでいくら使ったのか？
- カードごとの締め日と支払日はいつか？
- カードごとの利用限度額はいくらか？

これらをきちんと把握し、ExcelやGoogleスプレッドシートなどで一覧表を作ってすぐに確認できるようにしてください。

そして利用する時には、「ポイントが貯まりやすいからこのカードを使おう」ではなく、一覧表を見ながら支払いサイトの長いカードを優先的に使うようにしましょう。

物販ビジネスの規模を拡大して行くには資金力が重要であり、資金力を高める役割を果たしてくれるのがクレジットカードです。したがって物販ビジネスを本格的に行うなら、クレジットカードはたくさん持っておいた方が有利です。

しかしたくさん持てば持つほど把握が難しくなるので、必ず次のような一覧表を作って管理してください。

月別クレジットカード支払い額

カード支払い額					
	限度額(万円)	支払日	支払い月		備考(締め日など)
			2022年1月	2022年12月	
富士通トラベランス(UC VISA)	100	5日	\0		毎月末日までのご利用→翌月5日のお支払い
JQEPOSゴールドカード(VISA)	300	4日	\784,085		前月の5日から今月4日までのご利用→翌月4日のお支払い
JQカードMFUG	30	10日	\244,530		前月の16日から今月15日までのご利用→当月10日のお支払い
三菱地所グループCARD(VISA)	270	27日	\20,000		前月の5日から今月4日までのご利用→当月27日のお支払い
AMEXビジネスゴールド(浩)	800	10日	\437,515		毎月22日までのご利用→翌月10日のお支払い
SPG AMEX(浩)	300	10日	\349,133		
SPG AMEX(朝)	0	10日			毎月22日までのご利用→翌月10日のお支払い
SumiTRUSTプラチナ	300	10日	\0		毎月15日までのご利用→翌月10日のお支払い
ANAダイナーズプレミアム	700	10日	\0		毎月15日までのご利用→翌月10日のお支払い
ANAダイナーズプレミアムBA	700	10日	\353,131		毎月15日までのご利用→翌月10日のお支払い
ヤフーカード(JCB)	150	27日	\0		毎月末日までのご利用→翌月27日のお支払い
楽天カード(ブラック)(MasterCard)	700	27日	\862,628		毎月末日までのご利用→翌月27日のお支払い
楽天ビジネスカード(ゴールド)(VisaCard)	700	27日	\715,818		毎月末日までのご利用→翌月27日のお支払い
Luxryカード(チタン)(VisaCard)	200	27日			毎月5日までのご利用→翌月27日のお支払い

Amazonプライムカード（Master）	300	26日	\0			毎月末日までのご利用→翌月26日のお支払い
ANA visaプラチナカード（VISA）	300	10日	\130,948			毎月15日までのご利用→翌月10日のお支払い
ビックカメラSuica（JCB）	50	4日	\0			毎月末日までのご利用→翌々月4日のお支払い
みずほ銀行（セゾン AMEX）	1,900	4日	\20,016			毎月10日までのご利用→翌月4日のお支払い
セゾンビジネスプラチナ（AMEX）	1,900	4日	\3,347,23			毎月10日までのご利用→翌月4日のお支払い
三井アウトレットセゾン（MasterCard）	1,900	4日	\0			毎月10日までのご利用→翌月4日のお支払い
JQセゾン	300	4日	\260,000			毎月10日までのご利用→翌月4日のお支払い
Orico Card THE POINT（MasterCard）	300	27日				毎月末日までのご利用→翌月27日のお支払い
オリコB2B（ヤマダ電機）	100	27日				毎月末日までのご利用→翌月27日のお支払い
合計	6,700		\7,525,036	\0	100	

また、仕入れ帳も作ってください。仕入れ額や内容をしっかりと把握するために、「○月○日、仕入れ先、商品、数量、仕入値、送料、カード種類（or現金）」といった情報を、時系列で記録するものです。ExcelやGoogleスプレッドシートに記録するとよいでしょう。

クレジットカードでの購入ができずに現金仕入れを行う場合もあるかもしれませんが、その場合も同様に仕入れ帳に記載します。

❸資金回転

支払い管理、仕入れ管理を会得したら、最後は資金回転です。これが一番重要になります。この方法をマスターすれば、あなたは資金繰りに困ることはなくなります。

資金回転の原則は、

「仕入れた商品はとにかく1カ月以内に売る」

です。**逆に言えば1カ月以内に売れないものは、仕入れないことです。** この原則に従えば、例えば1月に50万円の仕入れを行った場合、2月は必ずAmazonで50万円を売る必要があります。つまり「仕入れた金額分は翌月に売る！」、このスタンスを守ることが大事なのです。

しかし日々の仕入れの記帳を行ってないと、「今月いくら売ればいいのか」という目標が立てられません。だからこそ先ほど説明した仕入れ帳の記録が必須になります。

「前月仕入れた金額分は翌月に売る！」を忠実に守っていけば、資金が円滑に回って健全に物販ビジネスが行えます。具体的に私が資金回転に関して毎月実施している手順は次の通りです。

❶月初に前月の合計仕入れ金額を確認する。
❷合計仕入れ金額（仮に100万円とする）を30日で割ると、3.3万円。つまり今月の1日当たり売上目標は3.3万円と設定される。
❸これを5日間で表すと、3.3万円×5日＝16.5万円

このように計算すると、「5日間で16.5万円売れていないと、資金回転は健全ではない」と判断できるわけです。

●資金回転を甘く見るとどうなるか？

このような管理を怠るとどうなるか。**最悪の場合、「黒字倒産」になります。**

赤字で倒産する話はよく聞きますが、黒字でも倒産します。なぜ黒字でも倒産するのか、おわかりでしょうか。私は実際に副業時代に黒字倒産を経験したので、その時のことをお話しします。

私のAmazon物販は軌道に乗り、毎月の売上は150万円、利益は30

万円ほどになっていました。私の本業の給料は30万円くらいでしたから、収入が倍に増えた感覚です。

そこで私は調子に乗って仕入れを増やし、毎月200万円ほどを仕入れに使うようになりました。仕入れた200万円分のクレジットカードの支払いは毎月確実にやってきます。一方、売上は毎月150万円ほどで、ほとんど増えることもありませんでした。その結果、たくさん仕入れてたくさん売っているつもりでも、実際は毎月毎月50万円分の不良在庫を生み出していたのです。

このようなことが続くと、徐々に預金が減っていきます。一つ一つの商品で見ると、仕入れた額よりも高い金額で売っているので、確実に利益が出ています。それなのに預金は減っていくのです。しかし私は、「いざとなったらAmazonにある在庫を全部売ればいいんだから」という安易な考えで、このような自転車操業を続けていました。

すると数カ月後に、突然、その時が訪れます。稼いでいるのに、銀行残高が不足してクレジットカードの支払いができない状況になったのです。ちなみにこの時は親に頭を下げてお金を借り、なんとかクレジットカードの支払いを乗り越えました。

もし本当に支払えなかったら、自己破産していたかもしれません。自己破産には至らなくても、確実にクレジットカード会社のブラックリストに載ってしまい、利用枠が減り、しばらくは新規カードを作れなくなったことでしょう。

このような出来事を経験したことで私は、「仕入れた金額以上の売上を上げないと大変なことになる」と初めて気づきました。

ちなみに、この時の支払額は200万円程度だったので親に借りられましたが、物販ビジネスの規模が大きくなってくると、仕入れ額は数百万円、1,000万円、2,000万円と上がります。そうなると親に貸してもらえるレベルではありません。資金管理を身につけないまま、規模を拡大することは非常に危険なのです。

●とにかく売上を優先する

黒字倒産で一発退場とならないために大切なことは、とにかく売上を優先することです。

どうしても最初のうちは、利益に目が行きがちですが、利益が出ていても黒字倒産してしまったらビジネスの継続ができなくなります。

ビジネスを継続するには売上が第一。売上が立たなければ利益も生まれることはありません。だからこそ売上を意識して物販を続けていきましょう。

世界一たくさんの人が集まる巨大マーケット、Amazonで販売ができることは、それだけで大きなメリットです。

資金管理さえ間違わなければ売上・利益を出し続けることは可能です。ここで解説した方法を参考に、徹底した資金管理を心がけていただければと思います。

定期的な在庫管理の重要性

Amazonの倉庫も完璧ではない!

セラーセントラルというシステム上での在庫管理は難しいものではなく、ごくシンプルです。FBA倉庫に納品すれば在庫が増えますし、売れれば在庫が減ります。セラーセントラル上での在庫管理に関して特に意識することはありません。

しかし覚えておいてほしいのは、「**Amazonの在庫管理は完璧ではない**」ということです。

巨大な倉庫に膨大な商品が保管され、注文が入ったら自動でロボットが商品をピックアップして発送部門に運び、梱包して発送されます。24時間365日止まらずに商品が発送され続けているわけですが、自分の商品が壊されたり、紛失されたりするケースはよくあります。

倉庫内での破損や紛失はAmazonが補填してくれますが、そもそもAmazon側が破損や紛失に気づかないケースがあります。

したがってセラー自身も、在庫や販売個数の数字に間違いがないのか、定期的にチェックする必要があります。納品した数が10個で、うち9個を販売し、1個の在庫が残っているはずなのに、セラーセントラル上では「販売個数9、在庫0」になっていることもたまにあります。

Amazonの在庫管理が間違っていなければ、在庫数＝納品数－販売個数となっているはず。もし在庫数が間違っているなら、Amazonに調査を依頼する必要があります。その手順を説明します。

●手順1

セラーセントラルに入って、右上のメニューから【レポート】→【フルフィルメント】と進みます。このページでは、注文や返品、在庫に関するレポートが確認できます。

【在庫】メニューの【表示を拡大】をクリックして、【在庫調整レポート】をクリックします。

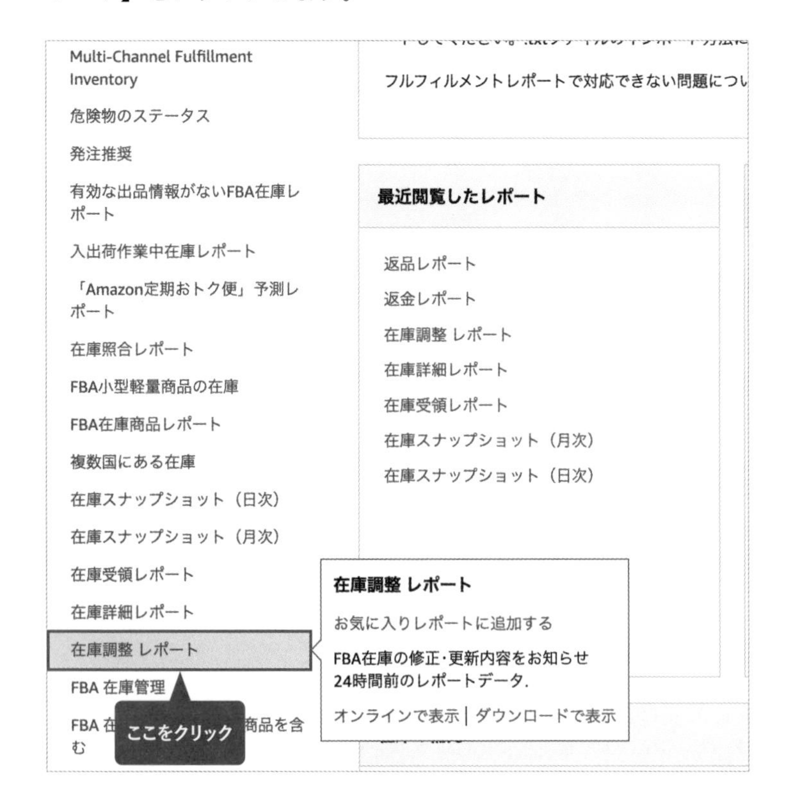

●手順2

レポート期間を設定し、【レポートの生成】をクリックします。レポート期間は180日や365日などに設定すればいいでしょう。すると、在庫調整レポートが表示されます。

1-25 / 25 項目. 現在のところ、表示は 10,000 項目に制定されています。さらに多くのアイテムを表示するには、レポートをダウンロードする必要があります。

日付 ↓	処理番号	FNSKU	出品者SKU	商品名	商品の状態	FC	理由
2023年1月13日	20030493349667	X003A89S55		Bandai Hobby RG - #36 Hi-Nu Gundam [Char's Counterattack Beltorchika Children], Bandai Spirits Hobby RG 1/144 (2555540)	CUSTOMER_DAMAGED	CHA1	在庫商品の配置ミス
2023年1月3日	20029639548332	X0032N62NR		Nikon D600 24.3 MP CMOS FX-Format Digital SLR Camera (OLD MODEL)	SELLABLE	ABQ1	破損 - Amazonフルフィルメントセンター責任
2023年1月3日	20029621017335	X0032N62NR		Nikon D600 24.3 MP CMOS FX-Format Digital SLR Camera (OLD MODEL)	SELLABLE	ABQ1	在庫商品の発見

●手順3

在庫調整レポートで注目したいのは「数量」と「商品の状態」です。「破損—Amazonフルフィルメントセンター責任」になっていればAmazon側が破損した可能性があり、代金が補填されているはずです。と同時に、在庫の「数量」もAmazonが調整しているはずです。その数が正しいかどうかを確認する必要があります。

例えば、あるタイミングで、A商品の在庫数量が「－1」となっているとします。理由には「在庫商品の配置ミス」と記載されています。その3日後に在庫商品が発見されると、「1」と記載されます。これはプラスマイナスゼロなので問題ありません。

しかしたまにあるのが、在庫商品の配置ミスで「－1」となっているのに、その後発見された記録がないことです。その場合はAmazonのテクニカルサポートに問い合わせる必要があります。

セラーセントラル画面の上にある【ヘルプ】から、問い合わせ画面を開き、「在庫調整レポートを確認したところ、紛失された○○が見つかった形跡がないため、マイナスのままになっています。至急、所在を確認してください」といった内容を問い合わせてください。

するとAmazonが調査を行います。もし見つかれば在庫の数が戻り、見つからない場合は補填されるかたちになります。

半年に一度くらいは、この在庫調整レポートの確認を行うようにしてください。

返品対応について

返品された商品を適切に処理する

商品が売れた後、返品になることがあります。その際の対応について解説します。

ユーザーから商品が返品された後の流れには2つのケースがあります。**1つは再納品・再販売されるケースです。**

返品された商品をAmazonがチェックし、まだ販売できる状態だと判断すると、そのままFBA倉庫に戻り、自動的に再出品されます。このケースについては出品者側での対応は不要です。

もう1つは、返品された商品をAmazonが検品したところ、「販売不可」と判断されるケースです。

販売不可になった商品は、1カ月間Amazonの返品倉庫に保管されることになり、セラー側が何も指示しなければ自動的に廃棄されます。

販売不可になる理由にはいくつかありますが、多いのは何らかの理由で開封されて返品されることです。また、中古の商品であれば動作不良なども返品の理由に挙げられます。

金額の小さい商品であれば、返品されてきた商品が1カ月後に廃棄されても仕方ないと判断できるのですが、カメラなどの高額な商品の場合はそうはいきません。

開封済みなら、再度梱包して再納品すればまた出品できます。動作不良の場合でも、日本に送り返してもらい修理すればまた販売できる可能性があります。いずれにしても返品された商品を引き取って、何らかの対応をする必要があります。

ただし、返品された商品をAmazonから日本に直接送ってもらうことはできないため、代行会社を使う必要があります。私の場合、「UGX Amazon FBA相乗り配送サービス」を提供しているアラウンド・ザ・ワールド株式会社の「返品・荷受・再販サービス」を利用しています。

○返品・荷受・再販サービス

https://aroundthe-world.net/web/return/

同サービスを利用する前提で返品処理を行う手順を説明します。

返品された商品を検品後、Amazonへ再納品する手順

まずは返品された商品を検品後、Amazonへ再納品する手続きについて解説します。

●手順1

Amazonのセラーセントラルの【在庫】画面を開き、上部のメニューから【販売不可在庫の返送/所有権の放棄】を選びます。すると、返品されてきて販売不可となった商品が表示されます。

送りたい商品にチェックを入れて、左上の【返送/所有権の放棄依頼を作成】をクリックします。

●手順2

商品の届け先情報を入力する画面に移ります。アメリカ国内にある「返品・荷受・再販サービス」の倉庫に送ってもらうために、住所・電話番号等を入力します。住所・電話番号は「返品・荷受・再販サービス」のマイページ内に記載があるので、それをコピーして入力してください。

最後に【続ける】をクリックします。

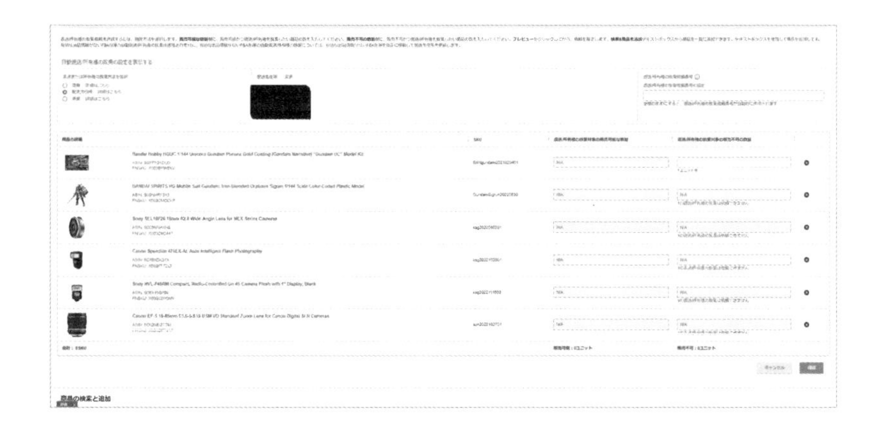

●手順3

次の画面では返送できる商品が一覧で表示されるので、確認後、【内容を確定】をクリックします。

返送/所有権の放棄依頼番号	SKUの数	販売可能な数量	販売不可数量	返送/所有権の放棄の方法
2301131A98	6	0	1	配送先住所

正常に処理されたことが確認できます。

返送/所有権の放棄依頼の完了

返送/所有権の放棄依頼2301131A98を受け付けました
依頼を受け付けました。依頼のステータスを確認するには、返送/所有権の放棄依頼の詳細レポートをご覧ください。

販売不可在庫の自動管理

価値回収プログラムや返送/廃棄サービスのために、Amazonフルフィルメントセンターにある販売不可在庫の自動返送/廃棄を設定できます。商品を価値回収プログラムから除外するように設定できる新しいパラメータが追加されました。また、選択した返送/廃棄サービスについて希望のスケジュールを設定できます。

販売不可在庫の自動返送/所有権放棄の設定

設定管理

長期保管在庫の自動返送/所有権の放棄の設定

設定管理

終了して前のページに戻る

しかし場合によっては、「返送/所有権の放棄不可商品」にいくつかの商品がリストされていることもあります。その場合は1週間ほど待って返送処理できるか確認してください。

1、2週間待っても処理ができないようであれば、何らかのトラブルが発生しているのでテクニカルサポートに問い合わせてみましょう。

●手順4

返送した商品が「返品・荷受・再販サービス」の倉庫に到着するまでは2週間前後かかります。倉庫に荷物が届いたら、メールが送られてきます。

このメールに返信するかたちで、商品ごとの対応（日本へ転送するor検品後FBA倉庫に再納品する）を依頼する必要があります。

そこで次のようなかたちで、商品名、ASIN、SKU、仕入額、希望対応方法、追跡番号（セラーセントラルで確認できる）記載した一覧をExcelで作成します。

[illegible]	ASIN	SKU	[illegible]	[illegible]	[illegible]
Canon EF 85mm f1.2L II USM Lens for Canon DSLR Cameras - Fixe	B000EW9Y4M	20210919102030	¥102,030	amazonFBA再納品	XXXXXXXXXXXX
Olympus M.Zuiko Digital ED 9-18mm F4.0-5.6 Lens, for Micro Four T	B0035LBRM6	2022011620140	¥20,140	amazonFBA再納品	XXXXXXXXXXXX

●手順5

「返品・荷受・再販サービス」からFBA倉庫に再納品するため、セラーセントラルの管理画面で納品手続きをします。この流れは通常の納品手続きと同じです。すでに登録済みのSKUを使い、【在庫管理】の画面で、該当する商品を選択し、上部のプルダウンメニューから【在庫商品を納品／補充する】を選びます。

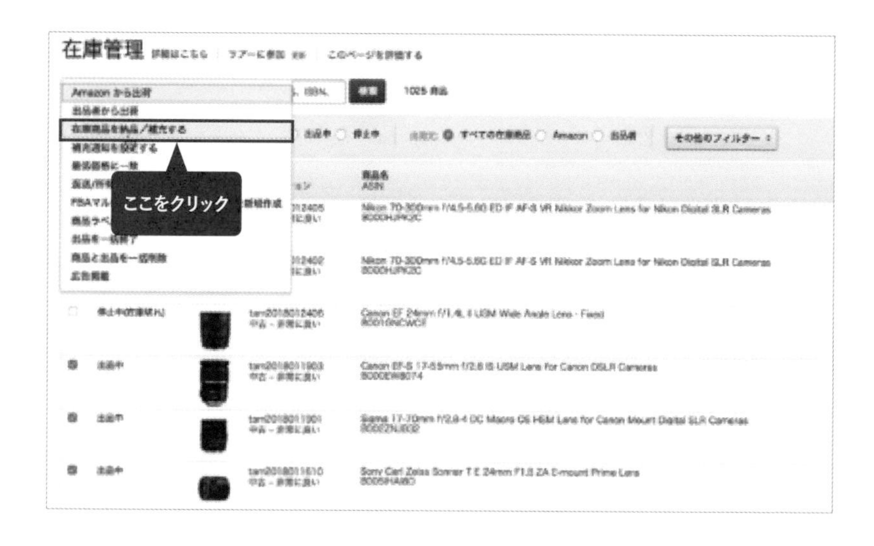

発送元の住所をアメリカにある「返品・荷受・再販サービス」の倉庫の住所に設定し、数量を入力して【続ける】をクリックします。

Amazonへ納品
ステップ1 – 発送する在庫を選択
ステップ2 – 出荷通知の送信
ステップ3 – 輸送箱ラベルを印刷
ここをクリック

●手順6

次の画面で【ラベルを印刷】をクリックするとPDFで納品ラベルが表示され、ダウンロードできます。

この納品ラベルPDFと、手順5で作成した返送商品一覧を添付し、【返品・荷受・再販サービス】から来たメールに返信して対応を依頼し

てください。なおこの時、「重量が確定しましたら、商品発送前にメールで再度ご連絡ください。」と一文を添えておきます。ちなみにメールは日本語で送って大丈夫です。

●手順7

「返品・荷受・再販サービス」で再納品の準備が終わると、重量確定のメールが届きます。

メールが届いたら、Amazonのセラーセントラルで途中まで進めていた納品準備を再開します。

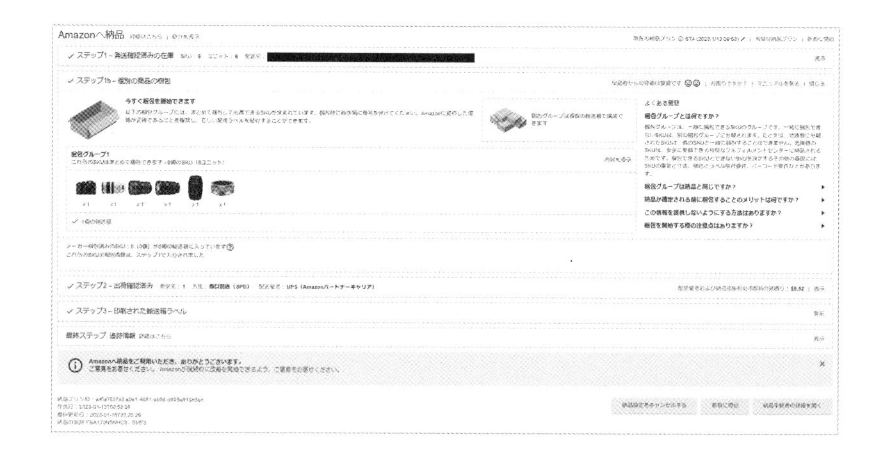

「1. 納品する商品を確認」し、「2,配送」のパートナーキャリアの項目は、UPSでもFedExでもどちらでも構いません。

「3. 輸送箱」の欄では、梱包された箱数に合致する箱数を選びます。重量（lb）を入力する欄が表示されるので、「返品・荷受・再販サービス」のメールに記載されていた重量を入力します。輸送箱の寸法は入力しなくても構いません。最後に【確認する】をクリックします。

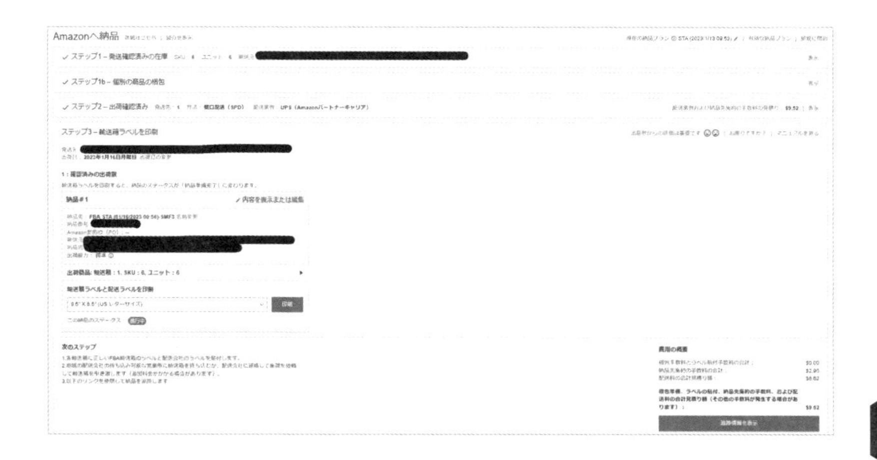

次に「4. 配送料」の欄にある【計算する】をクリックします。すると、配送料が表示されます。この配送料が売上金から差し引かれることになります。配送料を確認したら【請求額を承認】をクリックしてください。

すると「5. 配送ラベルを印刷」の欄にボタンが表示され、クリックすると配送ラベルのPDFファイルをダウンロードできます。

●手順8

手順7で届いたメールに返信するかたちで、配送ラベルのPDFファイルを添付し、発送処理を依頼します。

1、2日後に「発送準備が完了した」というメールとともに決済リンクが届くので、発送にかかる費用を決済します。するとFBAに商品が再納品され、出品が完了します。

返品された商品を日本へ転送する手順

次に、返品された商品を日本へ送り返してもらう手順を解説します。

上記の「手順5」までは同じです。「返品・荷受・再販サービス」からメールが届いたら、日本への返送を希望する商品をExcelに入力し、Excelファイルを添付してメールを返信してください。

その際、本文に「添付したファイルに記載している返品商品については、日本への返送をお願いします」と書き添え、返送先の住所・氏名・電話番号も忘れずに記載してください。

数日後、メールにて発送準備完了の連絡と決済のリンクが送られてきます。対応費用・送料を支払い次第、商品が発送されます。

なお日本への返送はやはり送料が高くなるので、できるだけ複数の商品をまとめて送った方が送料の節約になります。

3-4

確定申告に向けた会計資料の保管・整理方法

副業所得20万円以上の人は確定申告の義務がある

お小遣い稼ぎの副業でも、本業収入とは別に、年間で20万円以上の所得（利益）がある人は確定申告の義務が発生します。

年間20万円ということは月1.7万円ほどですから、物販を始めればすぐに到達する水準です。**Amazon輸出販売を始めるなら、必ず確定申告をするものとして普段からいろいろな準備をしておく必要があります。**

所得とは、収入（売上）から必要経費を差し引いた金額のことを意味します。つまり、物販事業のために使った仕入れや経費の額を、売上から差し引いたうえで、所得税の計算をするということです。

物販事業を行うと、以下のようにいろいろな経費がかかってきます。

- UGXに支払う送料
- Amazon FBAの手数料
- 仕入れでリアル店舗に行くための交通費やガソリン代
- 商品を梱包するための資材
- ノウハウを学ぶための費用（書籍代、セミナー代、スクール代）

- 事務所家賃（自宅で行う場合も、物販事業専用に使っている部屋があればその分は経費になる）
- 事務所の水道光熱費
- 物販仲間と交流するための交際費

これらは全部経費になります。経費を漏れなく計上し、利益を圧縮させることで、支払う税金を抑えられます。

例えば飲み会の費用なども、それが物販の仲間や仕入れ先との飲み会であれば交際費として計上可能です。喫茶店でのコーヒー代も、関係者との打ち合わせやリモートワークに喫茶店を使ったのであれば会議費になります。

経費として計上できる項目は意外と多くあります。

ただし、いくら節税になるといっても、**実在しない経費やビジネスとは関係のない経費を計上してしまうことは脱税につながるので絶対に止めてください。**

確定申告の基本

そもそも確定申告とは、毎年1月1日から12月31日までの1年間に生じた所得の金額と、それに対する所得税の額を計算して確定させる手続きのことを指します。

確定申告を行う期限は原則として、所得があった年の翌年2月16日から3月15日です。例えば2023年分の所得については、2024年2月16日から3月15日の間に確定申告の手続きを行います。

確定申告にも2種類があります。**「白色申告」と「青色申告」です。** 細かな違いは以下の通りいろいろありますが、ざっくり言うと**「白色申告は簡単」「青色申告はやや面倒くさいものの節税メリットが大きい」ということになります。**

確定申告の種類は2つ

<table>
<tr><th></th><th>白色申告</th><th colspan="2">青色申告</th></tr>
<tr><td>届け出の必要</td><td>なし</td><td colspan="2">あり</td></tr>
<tr><td>開業届の必要</td><td>なし</td><td colspan="2">あり</td></tr>
<tr><td>特別控除</td><td>なし</td><td>10万円</td><td>65万円</td></tr>
<tr><td>記帳義務</td><td>なし
収入300万円から必要</td><td>簡易簿記</td><td>正規の腹式簿記</td></tr>
<tr><td rowspan="2">決算書作成</td><td rowspan="2">なし
収支内訳書を作成</td><td colspan="2">賃借対照表　損益計算書</td></tr>
<tr><td>一部未記入でも可</td><td>全て記入が原則</td></tr>
<tr><td>従事者
家族従業員への支払い</td><td>配偶者86万円まで
それ以外50万円まで</td><td colspan="2">妥当であれば金額の制限なし
一定以上は源泉徴収が必要、専従者の届出が必要</td></tr>
<tr><td>赤字処理、
減価償却の特例</td><td>なし</td><td colspan="2">あり</td></tr>
</table>

青色申告の最も大きな特徴は「65万円控除」です。所得から65万円を差し引くことができ、その分だけ節税が可能になります。

「物販ビジネスを今後どれくらい拡大していくかわからない。毎月数万円くらい稼げればいいい」という人は白色申告のままでいいかもしれません。しかし、「物販ビジネスをやるからにはがっつりと稼ぎたい」という人は、青色申告をした方がだんぜんお得です。

●開業するのに必要な書類

なお青色申告をするには、所轄税務署に「所得税の青色申告承認申請書」を提出する必要があります。

また、白色か青色かに関わらず、個人が事業を始めた場合は「個人事業の開業届出書」を同じく税務署に提出する必要があります。

「個人事業の開業届出書」は事業を開始日から1カ月以内に、「所得税の青色申告承認申請書」は開業日から2カ月以内（白色申告からの切り替えの場合は、青色申告を開始したい年の3月15日まで）に提出しなければなりません。

「個人事業の開業届出書」は期限に遅れて提出しても問題はないようですが、「所得税の青色申告承認申請書」は期限に遅れると、希望した年から青色申告をスタートできなくなるので注意が必要です。

ちなみに私は2015年から副業として物販ビジネスを始め、2015年分は白色で確定申告を行いました。2016年からはよりビジネスを本格化しようと考え、「所得税の青色申告承認申請書」を年明け早々に提出しました。

●記帳や決算書の作成はどうする？

青色申告の適用を受けて確定申告する人には、複式簿記で記帳することが義務づけられています。クラウド会計ソフトを使えばそれほど難しいことではありませんが、慣れるまでは時間がかかりますし、数字が苦手な人にとっては苦痛かもしれません。

私の場合は初年度から記帳も確定申告の書類作成手続きも含めて、年間15万円ほどで税理士に丸投げしています。

苦手なことはお金を払ってプロにお任せして、そこで空いた時間をきちんと自分のビジネスに充てることが私は大切だと考えています。

また素人よりも税理士が作った確定申告書類の方が信頼性は高くなり、税務調査が入る可能性が低くなりますし、金融機関から融資を受ける際も有利になります。

毎月やっておきたい書類の整理

自分で確定申告をするにしても、税理士に任せるにしても、必ず保管しておかなければならないのが、お金の動きを証明する各種書類です。 必要書類の整理と保管はどのようにしておけばいいのか、説明します。

●領収書やそれに代わる書類をきちんと保管

仕入れ額や経費を証明する領収書は必ず受け取り、保管しておかなければなりません。

ただ、使った経費の内容や取引相手によっては領収書を発行してもらえないこともあります。その場合はクレジットカードの明細、金額が書かれたメール、料金明細が書かれたWebサイトの画面などが領収書の代わりになるので、必ず印刷して保管しておきましょう。ヤフオクなども領収書は発行されませんが、落札履歴のメールを印刷すればOKです。

少額の電車賃についても領収書を受け取れませんが、日付、金額、目的地、経路などをExcelファイルなどに記入しておけば問題ありません。

毎月の経費の管理はこまめに行いましょう。1月から12月までの分を、翌年の2月に確定申告するわけですが、申告期限の直前になって整理するのは大変です。毎月きちんと行えばバタバタしないで済みます。

クリアファイルや大きめの封筒などを12枚用意して、月ごとに領収書を分けて入れておくと便利です。

ビジネスが大きくなればなるほど、領収書やカードの明細は増えていきます。稼ぎ出す前から意識して整理しておきましょう。

●毎月行いたい月末処理

確定申告時に必要な書類は大きく分けて5点あります。確定申告に向けて、これらの書類を毎月（3の棚卸資料については年1回）必ず確認し、整理・保存しておくようにしましょう。

❶仕入れの明細

商品を仕入れる際は、現金で仕入れる場合とクレジットカードで仕入れる場合の2種類があります。

現金で仕入れた場合は、必ず領収書を発行してもらってください。宛名は自分の氏名もしくは屋号（ショップ名）で構いません。

クレジットカードで買う場合もなるべく領収書を受け取ってくださ

い。また、クレジットカードの明細も取っておきましょう。

❷売上明細

売上の明細に関しては、Amazonセラーセントラル画面にログインし、「ペイメント」の項目を開くと過去の決済情報を一覧に表示できます。これを印刷すればOKです。

❸在庫棚卸資料

12月末時点で翌年に持ち越される在庫の総仕入額を、確定申告の際に在庫として計上する必要があります。そのため1年に1回、在庫棚卸資料を用意します。

これに関しても、セラーセントラルから入手できます。セラーセントラルの【レポート】→【フルフィルメント】から、【在庫スナップショット】を開き、レポート期間として12月31日を指定してレポートを生成すれば、在庫の一覧が提示されます。

このデータをコピーしてExcelにペーストします。そして1行追加して、SKUごとの仕入れ金額を入力していきます。そうすると12月末時点で持っている在庫の合計仕入れ額を算出できます。この合計仕入れ額を確定申告で使用します。

❹銀行口座の明細

ビジネス用に使っている金融機関の入出金明細が必要です。紙の通帳を使っている場合はそのコピーを取っておきます。ネット銀行を利用している場合は、明細を毎月印刷しておくとよいでしょう。

家計用に使っている銀行口座とビジネス用の口座を一緒にしている場合は、税理士にわかりやすいよう、ビジネスで入出金した項目にマーカー線を引いておくといいでしょう。可能ならばビジネスの専用口座を作って、家計用の口座とは分けておいた方が管理しやすくなります。

❺クレジットカード明細

クレジットカードで仕入れを行った場合はクレジットカードの利用明細も取っておく必要があります。利用明細は自宅に郵送されてくるものでも、カード会社のマイページからダウンロードできるものでもどちらでも構いません。

銀行口座と同じように、ビジネス用の経費については一目でわかるようマーカー線を引いておきましょう。

毎月末に月末処理の時間を確保しこれらの資料を集めて整理してください。毎月処理を行っていれば、確定申告の時期になって慌てて用意する必要がなくなります。

直接取引の活用

仕入れ費用を抑える直接取引

仕入れをする際に、ヤフオク、メルカリ、ラクマなどのオークションサイトやフリマサイトを使う場合があります。それらのサイトを利用して継続的に仕入れるようになると、「あれ、またこの人から買っているな」ということが増えてきます。

これを放置しておくのは非常にもったいない。**これらのサイトを介さず直接取引をすることで、仕入れ費用を抑えられるからです。**

ヤフオク、メルカリ、ラクマを利用する出品者は、商品が売れるたびにプラットフォーム側に手数料を支払うことになります。各プラットフォームの手数料率は以下の通りです。

【各サイトの税込手数料率（2023年1月時点）】
- ヤフオク：送料込み販売代金の10%（プレミアム会員は8.8%）
- メルカリ：送料込み販売代金の10%
- ラクマ：送料込み販売代金の6.6%

この手数料は出品側としてもムダな費用です。出品者と購入者が直接取引すれば、プラットフォーム側に支払う手数料を節約できます。

そこで、出品者に対して直接取引を提案すると同時に、商品の値引きをお願いしてみましょう。お互いにメリットがあるので、提案が受け入れられる可能性はあります。直接取引には他にも以下のようなメリットがあります。

●出品者側のメリット

● 販売手数料をプラットフォームに支払わなくて済む。

● まとめて販売することで、一つ一つの商品を出品・梱包・配送する手間を省ける。

●購入者側のメリット

●（値下げに応じてもらえば）安く仕入れられる。

● 複数の商品を一気に買い付けることで、いろいろな手間を省ける。

Win-Winの取引になるはずなので、やらなければ損ということです。

じっくりとコミュニケーションを取りながら取引を

では具体的にどのようにして直接取引に持ち込めばいいでしょうか。

まず、よく落札する出品者の情報をサイト上で確認します。出品者が企業であれば、個人相手に取引してもらうのは難しいかもしれません。**狙い目は個人で出品している人です。**ヤフオクを中心に転売ビジネスをしているような人は、直接取引に応じてもらいやすいといえます。

必ず確認したいのは、その出品者の評価です。多くの商品を販売した実績があり、かつ高評価のレビューが多く付いている人であれば安心して取引できそうです。評価が低い人、販売実績が少ない人は避けてください。

出品者が現在出品している商品・過去に出品した商品の一覧も確認しましょう。自分が買いたい商品を多数出品しているようであれば、相性バッチリです。

その出品者と過去に取引した経験があれば、相手に取引メッセージを送れるはずです。

「先日取引させていただきました田村です。○○の商品について、在庫はありますでしょうか？　もし在庫があればご連絡いただけますと幸いです」といったかたちで問い合わせをします。そして電話番号やLINE ID、Facebookメッセンジャーの IDなど、何らかの連絡手段を記載して連絡をもらうようにします。

連絡が取れたらそこからは交渉です。例えば、「10%の販売手数料が節約できるわけですから、その半分に当たる5%を値下げしていただけませんでしょうか？」「まとめて○個を買いたいのですが値引きは可能でしょうか？」などと提案します。

もちろん断られることもありますが、応じてもらえることもあります。今後の大事なビジネスパートナーとなる相手ですから、丁寧にコミュニケーションを取りましょう。

このようにして実際に取引ができれば、それ以降も継続して取引してもらえるようになるはずです。メールなどで在庫リストをもらって、そのなかから欲しいものを選んで注文するといったことも行えるようになります。

電話でやり取りできるくらいの仲になると、さらに取引が拡大します。こちらが欲しい商品を伝えておき、仕入れてもらうといったことも可能になります。自宅が近ければ直接会って商品を受け渡しするのもいいですね。

なお、直接取引にはデメリットもあります。代金の支払いにクレジットカードを使えず、銀行振り込みになってしまう点です。そこで、どうしてもクレジットカードを使いたい場合は、手数料が比較的安いラクマに出品してもらう方法が考えられます。

一つひとつ商品を仕入れて販売していくのが物販の基本ではありますが、一気に数字を積み上げていくことも大事。そのうえで肝になるのが直接取引です。ぜひうまく活用してください。

3-6

輸出の主戦力・中古カメラ仕入れを極める！

中古カメラ仕入れの注意点

私がAmazon輸出物販の主戦力としているのは中古のカメラや交換レンズです。国内で仕入れやすく、かつアメリカのAmazonでの販売価格と差があり、利益を出しやすい商品だからです。

私自身、中古カメラの販売だけしかやっていない時期もあったほどです。中古カメラだけで月利100万円行くことも可能です。ぜひ極めてください。

カメラにもいろいろありますが、特にAmazonで売れやすいのは以下の商品です。

- デジタル一眼レフカメラ（ボディー、レンズ、レンズキット）
- コンパクトデジタルカメラ
- ミラーレス一眼カメラ（ボディー、レンズ、レンズキット）
- ビデオカメラ
- アクセサリ類、備品

なかでも私は、デジタル一眼レフカメラ・レンズ、ミラーレス一眼カメラ・レンズをよく取り扱っています。

カメラを仕入れする際には注意点を説明します。

●アメリカのAmazonに出品できない商品・メーカー

以下の商品は、アメリカのAmazonに出品できない、あるいは出品しても売りにくい商品なので、注意が必要です。

・キヤノン、ニコン、シグマの新品

新品の販売が禁止されているので、中古以外は仕入れないでください。

・ソニー、パナソニックの中古ボディー

ディスプレイの表示言語を英語に変更できないため中古での販売は難しいと考えてください。ただ、ソニー、パナソニックの新品なら「インターナショナルバージョン」であれば販売できます。

●積極的に出品したい商品

一方、出品してきちんと利益を上げられて、返品も少ないのは以下の商品です。

・中古のカメラボディー：キヤノン、ニコン、富士フイルム
・中古の交換レンズ：キヤノン、ニコン、ソニー、シグマ、タムロン、富士フイルム、ペンタックス

これらは仕入れやすく売れやすい商品といえます。

なお、ボディーを仕入れた時の注意点として必ずやるべきなのは、ディスプレイの表示言語を英語に変更することです。表示言語が日本語のままだと返品される可能性が高くなります。

●付属品はあった方がいいか？

仕入れ時には付属品の有無を必ず確認しましょう。付属品については、ないと売りにくいものがあります。

例えば交換レンズに関しては、前後のキャップとレンズフードの計3点の付属品がそろっていることが大切です。それ以外の付属品は無くても問題ありません。

なおレンズキャップは、純正品が必須です。純正品ではない付属品を付けて販売すると返品される傾向があるからです。純正品のキャップのみを別で購入してセットにして販売するという方法もあります。

ボディーの付属品で最低限必要なのは、ボディーキャップ、バッテリーチャージャー、バッテリーです。これらが揃った品を仕入れましょう。さらに、ケーブル類やストラップもあった方がいいです。

箱と説明書はあった方がいいような気もしますが、実は不要です。日本語が書いてある箱や説明書を付けても意味がないからです。捨てて構いません。ソフトウェアの入ったCDなども捨ててください。

仕入れにおすすめのECサイト

中古カメラ・レンズを仕入れる際のおすすめの仕入れ先は、以下の三つのECサイトです。

・カメラのキタムラ

https://shop.kitamura.jp/

・マップカメラ

https://www.mapcamera.com/

・J-カメラ

https://j-camera.net/

この3つのショップだけでほとんどの仕入れをカバーできます。その他、ヤフオク、メルカリ、ラクマをチェックするのもいいでしょう。

上記3つのECサイトで商品を探す流れは以下の通りです。

❶Amazonで売れている商品を見つける（多くのレビューがついているもの、ランキング上位のものであれば売れやすい）
❷「prime」マークの付いた出品者を見比べて、たくさんの販売実績があり、プライスリーダーとなっている出品者に注目して、その販売価格を確認する。
❸プライスリーダーが設定している価格よりも、2、3%安い価格を、自分の販売価格の目安にする。
❹利益率10%で計算し、仕入れのターゲット価格を決める（Amazonでの販売価格目安を7万円としたなら、仕入価格は6.3万円）
❺国内のECサイト（カメラのキタムラなど）で販売されている商品を検索し、商品状態や付属品を確認して購入する。

といった流れになります。

中古カメラ・レンズのチェックポイント

中古品を買う場合、状態をチェックすることが大切です。

私の場合、カメラのキタムラの場合は「B」以上、マップカメラやJ-

カメラは「並品」以上を仕入れ対象としています。

なおカメラのキタムラに関しては、購入した商品を指定の店舗まで取り寄せてもらうこともできます。自宅近くの店舗に取り寄せて、実際に商品を見てから購入を判断することも可能です。商品を見た後に返却することもできます。

中古品を買う場合、実際の商品を確認してからの方が安心です。

確認するポイントは、傷やへこみの有無です。へこみがある商品は避けた方がいいでしょう。

少しくらいの傷は問題ありませんが、たくさんある場合はやめた方がいいです。印字が剥がれている商品も返品されやすい傾向にあります。

レンズでもボディーでも、カビや曇りが見られるものは絶対に避けてください。

なおレンズをのぞき込んでみるとチリやホコリが見えると思いますが、問題ありません。基本的に中古のレンズにはチリやホコリが入っているものだからです。

このようにしてリサーチした商品の情報はExcelファイルに記録しておくことをおすすめします。

必ず記録したいのは、商品名、ASIN、状態、US販売価格、国内販売価格、仕入れ参考価格、粗利などの情報です。もし仕入価格が高くて買えなかったとしても、蓄積した情報は後々の参考になります。

参入障壁が高い＝安定した収益

以上の説明を読んで、「なんだか難しそう」「ちょっと面倒くさい」

と感じたかもしれません。その感覚は正解です。中古カメラはちょっと面倒くさく、難しいため、参入障壁が高いのです。

それゆえにライバルが少なく、安定した稼ぎを実現できるのが中古カメラ市場です。

最初はわからないことが多いかもしれませんが、場数をこなして慣れていけば次第にわかってきます。

わからないことはネットで調べたり、実際に使用したり、カメラ店で聞いたりすれば解決できます。そうするうちに理解が深まるはずです。

たくさん取引して、自分の得意商品の幅を広げてください。

Chapter

4

輸出ビジネスを制する商品リサーチ法

在庫管理や仕入れのコツを学んだところで、今度は実際に販売する商品を決めていくプロセスに入ります。どんな商品を仕入れればいいのか？　それを決めるために必要なのは、ネット上で売れそうな商品をリサーチする作業です。アメリカと日本。2つのAmazonを活用ながら、ベストな商品をセレクトする方法をお伝えしましょう。

4-1

リサーチの流れ

4つの視点でリサーチする

輸出物販の肝である仕入れ。仕入れに適した商品をいかにして探し出すかが、ビジネスの成否を分ける鍵を握っています。そこで本章では、仕入れる商品をネット上でリサーチする方法について詳しく解説していきます。

商品リサーチの大まかな流れは次の通りです。

❶商品レビューをチェックする

日本とアメリカ、どちらのAmazonからスタートするのでも構いませんが、ここではアメリカのAmazonからスタートする流れを想定しています。

まず、Amazon.comの検索窓にブランド名やメーカー名を入れて検索します。

そして2桁以上のレビューがついているか、★3つ以上かを確認します。確認できたら商品の詳細ページを開き、そのレビューがアメリカ国内のものかどうかをチェックします。

❷ランキングをチェックする

ランキングを確認します。**最小カテゴリーのなかで1万位以上の商**

品であれば合格と考えます。

❸競合出品者をチェックする

競合出品者がどれくらいいるか、在庫をどれくらい持っているかを確認します。競合が多すぎると自分に順番が回ってこないからです。

❹価格差をチェックする

日米のAmazonでどのくらいの価格差があるかを調べます。Amazonに限らず、楽天やYahoo!ショッピングなどその他のECサイトも確認するといいでしょう。

Google Chromeの拡張機能「モノサーチ」を利用すると価格チェックが簡単に行えます。

リサーチの流れはこの通りでなくとも構いません。例えば、ECサイトのセールで安くなっている商品を見つけた時は、日米での価格差を調べて、商品レビューやランキング、競合出品者をチェックして、購入するという流れになります。

手順についてはその時々に応じて柔軟に変更してください。ただ、「商品レビュー」「ランキング」「競合出品者」「価格差」の4点を確認することは必須です。

上記の❶から❹までの流れについて、次項からもう少し詳しく解説していきます。

商品リサーチ時の注意点

日米のAmazonで商品リサーチする際に理解しておきたいのは、アメリカのAmazonに出品されていない（商品ページが存在しない）商品は、販売しづらいという点です。

実際には販売できるのですが、イチからカタログを作る手間がかかりますし、それが売れるかどうかは未知数です。

したがって基本的には、アメリカのAmazonですでに売られている商品を取り扱うようにしましょう。

また、そもそも単価が低すぎる商品は輸出に向いていません。例えば単価数ドル（数百円）の商品は、いくら価格差があったとしても一つ一つの利益が少なすぎて、手間のわりに旨味がありません。

私の場合は、Amazon.comで30ドル以上の商品を取り扱うことを目安にしています。

❶商品レビューをチェックする

商品レビューで売れているかどうかがわかる

Amazon.comで売れている商品でなければ仕入れる意味はありません。売れない商品を仕入れてしまうと、在庫だけがどんどん積み上がってしまうことになります。

まずは売れている商品を探すことが輸出物販のスタートです。

●レビューの多い商品を確認する

商品ジャンルは、本書でおすすめしているデジタルカメラやレンズ、小型家電、おもちゃなどでもいいですし、自分の得意分野があればそれでも構いません。

Amazon.comを開いて、まずはブランド名やメーカー名で検索してみましょう。

例えば、NIKON（ニコン）で検索してみます。そうするといろいろな商品が検索結果に出てきます。ジャンルや価格帯、シリーズ名などなどでさらに絞り込んでもいいでしょう。

この時に真っ先に注目したいのは、商品レビューの件数です。商品レビューの件数は、売れている商品かどうかを判断する最も重要な基準だからです。

Amazonの商品ページでは、★の数と評価件数、カスタマーレビュー（ユーザーのコメント）で商品の評価がわかるようになっています。

また、商品を販売している出品者に対してもレビューが付けられています。

仕入れする時には、出品者に対するレビューではなく、商品自体のレビューを見る必要があります。

そして、

- ★３つ以上か
- レビューの件数（Ratings）は最低でも２桁あるか

をチェックします。★3つ以下は購入者の満足度が低い商品であり、販売しづらいので手を出さないようにします。

レビューの件数は多ければ多いほどいいです。多くの人が購入している証拠だからです。

ただ、発売したばかりの商品だとレビューの数が極端に少なかったり、あるいは0件だったりします。そのような商品についてはしばらく様子を見て、レビューがつき始めてから仕入れをするようにします。

レビューはアメリカ国内のものか

注意したいのは、レビュー件数だけでは、どこの国のユーザーがレビューしたかわからないという点です。

Amazonのレビュー表示は、日本やアメリカなど各国のAmazonユーザーがレビューした件数を合算したものになっています。

つまり日本のユーザーによるレビュー件数も、アメリカのAmazon.comのレビュー件数に含まれて表示されているわけです。その証拠に、日米のAmazonで同一商品のページを表示させると、レビュー件数がほぼ同じになっています。

グローバルで合算されたレビュー件数を見ただけでは、「その国で売れているかどうか」を正しく知ることができません。日本でたくさんレビューされているものの、アメリカではほとんど売れていない商品もあります。

大事なのは、アメリカで売れている（たくさんレビューされている）か、ということです。

そこで、アメリカ国内でのレビューが多いかどうかを確認します。

商品ページのカスタマーレビューの上部に「Top reviews from the United States」との表示があります。その下に英文で書かれたレビューが多ければ、アメリカ国内のユーザーがたくさんレビューしている＝アメリカで売れている、ということがわかります。

一方、「Top reviews from the United States」のレビューがいくつかあった後に、「Top reviews from other countries」のレビューが記載されているケースがあります。

これはアメリカ国内でのレビューが少なく、他国のレビューはある、つまりアメリカ国内ではあまり売れていない商品である可能性が高くなります。そのような商品の仕入れは避けた方がいいかもしれません。

「Top reviews from the United States」が重要

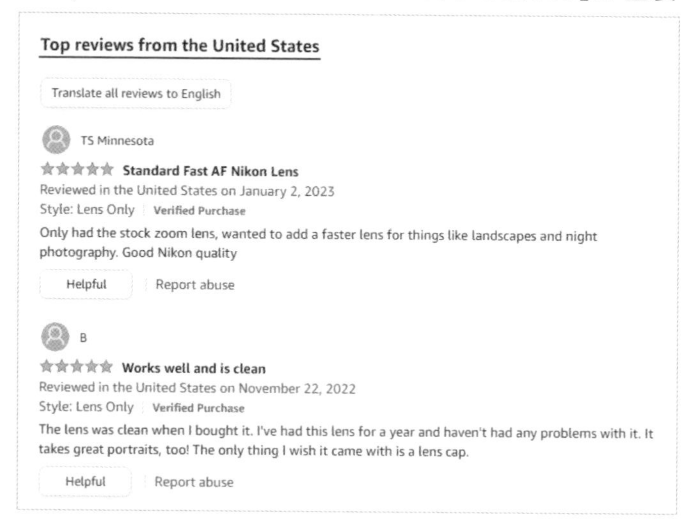

❷ランキングをチェックする

カテゴリーのなかで何位か？

商品レビューと合わせてチェックしたいのはランキングです。

Amazonのランキングは基本的に、直近1カ月間でたくさん売れているものが上位に上がっていく仕組みになっています。売れている商品かどうかを知るために、ランキングを確認してください。

確認方法としては、商品ページの「Product information（商品の情報）」欄にある、「Best Sellers Rank（Amazon 売れ筋ランキング）」を見ます。ここに例えば、

#16,892 in Toys & Games (See Top 100 in Toys & Games)
#875 in Action Figures

と表示されていたとします。

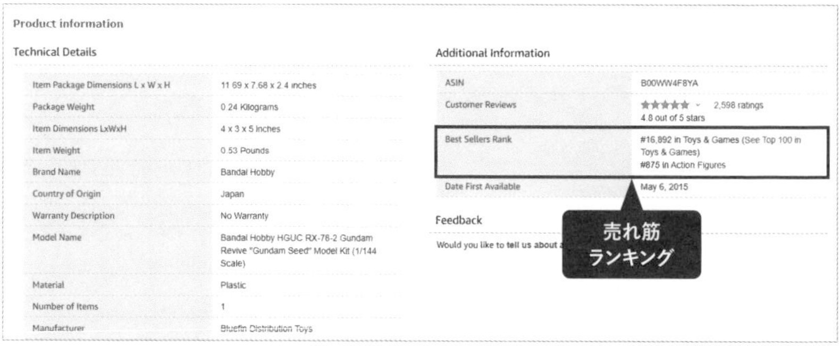

Product information

Technical Details

Item Package Dimensions L x W x H	11.69 x 7.68 x 2.4 inches
Package Weight	0.24 Kilograms
Item Dimensions LxWxH	4 x 3 x 5 inches
Item Weight	0.53 Pounds
Brand Name	Bandai Hobby
Country of Origin	Japan
Warranty Description	No Warranty
Model Name	Bandai Hobby HGUC RX-78-2 Gundam Revive "Gundam Seed" Model Kit (1/144 Scale)
Material	Plastic
Number of Items	1
Manufacturer	Bluefin Distribution Toys

Additional Information

ASIN	B00WW4F8YA
Customer Reviews	2,598 ratings 4.8 out of 5 stars
Best Sellers Rank	#16,892 in Toys & Games (See Top 100 in Toys & Games) #875 in Action Figures
Date First Available	May 6, 2015

Feedback

Would you like to tell us about a

売れ筋
ランキング

これは、「トイ＆ゲーム」という大きなカテゴリーのなかで16,892位、「トイ＆ゲーム」内の「アクションフィギュア」という小カテゴリーのなかで875位という意味です。

大きなカテゴリーのなかで10万位以内はかなり優秀で、売りやすい商品です。

小カテゴリー内なら1万位以内は比較的速やかに売れる商品といえます。さらに1,000位以内ともなれば、非常に人気が高く、出品した端から次々と売れていきます。

ランキングが上位であればあるほど売りやすい商品であるのは事実。**したがってランキングをチェックして、最小カテゴリーのなかで1万位以内、できればもっと上位のものを仕入れるようにしてください。**

また、個々の商品でランキングを確認するのではなく、特定のカテゴリーのランキングを一覧表示させて、1つずつ日米の価格差を確認するという方法で調査するのもいいでしょう。

ランク外が売れないとは限らない!?

ではランキング外の商品を切り捨てた方がいいかというと、そんなことはありません。

その理由の1つとして、何らかの理由でランキングに入っていないこともあるからです。

Amazonのランキングは、最近1カ月間での販売個数をもとに決まります。そのため、たまたま商品の供給がなかったなどの理由で1カ月間の販売実績が少なければ、ランク外に弾かれてしまうこともあるのです。

そのような商品でも、レビューを見て、過去にある程度の販売実績があるなら仕入れ候補にしても構いません。

もう1つのランキング外になっている理由としては、単純にそのカテゴリーで販売されている商品数が多すぎるということが挙げられます。しかし、ランキング外であっても、ある程度のレビュー件数がある商品はあります。

そのような商品を発見して、売れそうだと感じたら、試しに少しだけ仕入れてテスト販売してみるのもいいでしょう。そして売れるようであれば継続して仕入れ・販売を行います。

ランキング内の商品は競合出品者も数多く出品するので、競争が激しくなりがちです。時にはランキング外の商品を取り扱うのも、競合との差別化を図るためのテクニックといえます。

ただし、「レビュー件数が少ない」かつ「ランキング外」の商品は基本的に売れないので取り扱わないように注意してください。

❸競合出品者をチェックする

「カートを取る」ために競合出品者をチェック

商品レビューやランキングでそこそこ売れる商品だとわかったら、次にチェックするのは競合出品者です。

同じ商品を出品している出品者が複数いる場合、一番に表示される（業界用語で「カートを取る」と言う）のはどの出品者か、どのような基準で出品者の表示順位が決まるのか、そのアルゴリズムをAmazonは公表していません。

ただ基本的には、最も低い価格を提示した出品者がカートを取ることになっています。価格が同じであれば、出品者に対するレビューの評価が高い方が優先されることになります。さらに、販売実績もカート取りの順位に影響してくると考えられます。

中古商品を出品する場合、他にもいろいろなコンディション（Very Good、Goodなど）の商品が出品されていることが多いため、必ずしもカートを取る（一番上に表示される）必要はありません。

しかし新品を出品する場合、基本的にはカートを取らないと買ってもらえません。

自分がカートを取るためには、競合相手がどのくらいいるのか、どんな価格を提示しているのかを知ることが重要です。

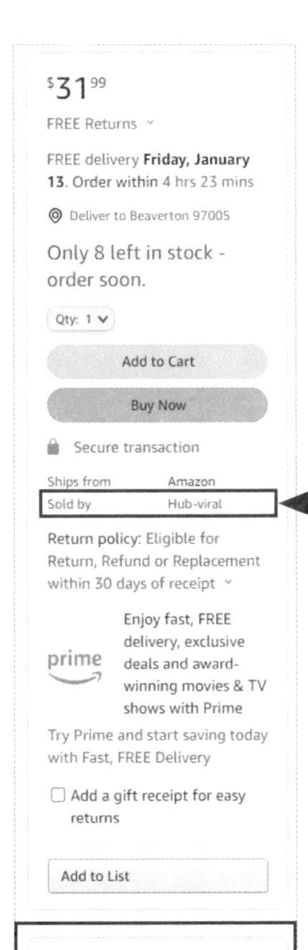
$31.99
FREE Returns
FREE delivery Friday, January 13. Order within 4 hrs 23 mins
Deliver to Beaverton 97005
Only 8 left in stock - order soon.
Qty: 1
Add to Cart
Buy Now
Secure transaction
Ships from Amazon
Sold by Hub-viral
Return policy: Eligible for Return, Refund or Replacement within 30 days of receipt
prime
Enjoy fast, FREE delivery, exclusive deals and award-winning movies & TV shows with Prime
Try Prime and start saving today with Fast, FREE Delivery
Add a gift receipt for easy returns
Add to List

カートを取っている
出品者

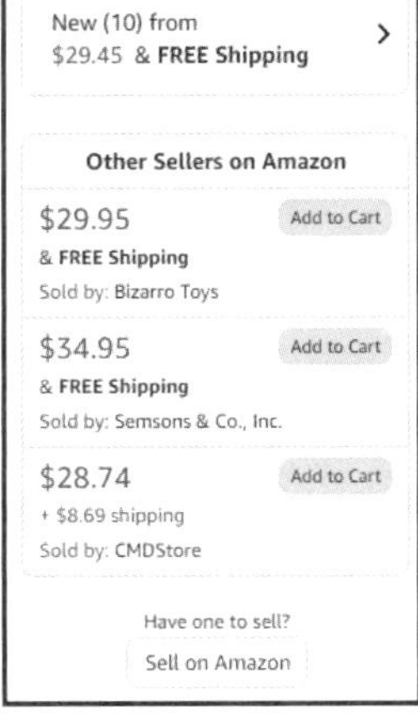
New (10) from
$29.45 & FREE Shipping
Other Sellers on Amazon
$29.95
Add to Cart
& FREE Shipping
Sold by: Bizarro Toys
$34.95
Add to Cart
& FREE Shipping
Sold by: Semsons & Co., Inc.
$28.74
Add to Cart
+ $8.69 shipping
Sold by: CMDStore
Have one to sell?
Sell on Amazon

他の出品者

競合出品者のチェック方法

Amazon.comの商品ページでは、「Other Sellers on Amazon（その他の出品社）」の欄に出品者が3社記載されています。さらにその上の「New (XX) from」をクリックすると、その他の出品者の情報を確認できます。

これを表示させて、競合状況を調査してください。

競合となる出品者が30社以上並んでいるようなら、なかなか自分の順番が回ってこないと考えられるので、仕入れは控えた方がいいと判断します。

しかし競合出品者が10社くらいであれば、価格設定次第で自分にもすぐに順番が回ってくることが予想されます。

また、競合出品者たちが持っている在庫数も念のため確認しましょう。

次項「4-5　❹日米の価格差をチェックする」で説明するGoogle Chromeの拡張機能「モノサーチ」をインストールした状態で「New (XX) from」をクリックすると、各出品者が保有している在庫数を確認できます。

または、「Add to Cart」をクリックして、商品をいったんカートに入れ、その後でカートのページを開き、いくつまで同時購入できるかを確認します。同時購入できる個数が「1」であれば、在庫は「1」しかないことが確認できます。

このように出品者の在庫を確認して、大量に持っている競合出品者がいる場合は要注意です。同じ商品を出品しても、なかなか自分の順番が回ってこないと考えられるからです。

在庫数が「1」などの少数であれば、1つ売れればすぐ次の出品者にカート順位が回ってくると考えられるので、その商品を仕入れ候補に加えてもよいでしょう。

「モノサーチ」を導入したブラウザで表示される在庫数

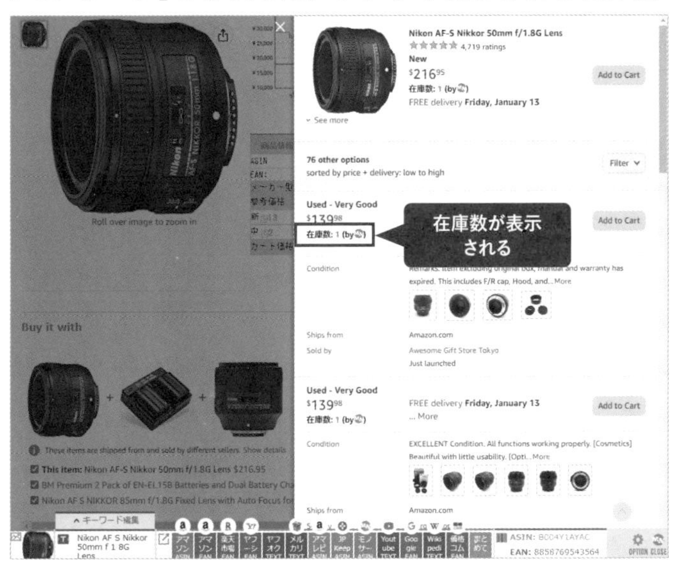

4-5

❹日米の価格差をチェックする

価格差をさまざまなサイトで調査

仕入れにおける重要なポイントは価格差です。

アメリカのAmazonで売られている商品と同じものを日本で仕入れ、かつ価格差が大きければ大きいほど利益は大きくなります。一定の価格差がないと仕入れに向いている商品とはいえません。

商品レビューやランキング、競合出品者をチェックして、「この商品は売れそう」と判断したら、その商品をいくらで仕入れられるかを調査しましょう。そして日米での価格差を確認して、一定以上の利益が確保できるものだけを仕入れます。利益率は10%以上確保したいところです。

ではまず、日米のAmazonで商品価格を調べる方法を解説します。手順は次の通りです。

❶アメリカのAmazonで価格を調べる

例えば、ドラゴンボールのフィギュアがあり、かなり多くのレビューが付いた人気商品だったとします。価格を見ると68ドルでした。1ドル＝135円で換算すると、9,180円です。

この商品が、日本ではいくらで売られているか検索します。Amazonの画面上にある「ASIN」の欄から10桁のコードをコピーします。

❷日本のAmazonで同じ商品を検索する

先ほどコピーしたASINコードを、日本のAmazonの検索窓に貼り付けて検索します。

ASINコードはAmazonが世界共通で割り当てている商品コードなので、他国のAmazonでもASINコードを利用して同じ商品を検索できます。

先ほどアメリカで9,180円だった商品は、日本のAmazonでは8,900円でした。アメリカとの価格差は290円ということがわかります。

このようにして日米の同一商品の価格差を見ていき、「売れている商品」であり、かつ「価格差の大きいもの」を探し出します。

Google Chromeの拡張機能「モノサーチ」は必須!

上記のリサーチをよりスムーズに行う方法があります。Webサイトを表示するブラウザに「Google Chrome」を使い、そのChromeに拡張機能「モノサーチ」をインストールして使う方法です。

モノサーチをChromeに導入してからAmazon.comを開くと、国内外のショッピングサイト・価格推移サイトなどへリンクするタブがブラウザの下の部分にずらっと表示されます。

これを利用することで、例えばアメリカのAmazonのページで特定の商品を開いた時に、それと同じ商品が日本のAmazon、楽天市場、Yahoo!ショッピング、メルカリなどのECサイトではいくらで販売されているのか、ワンクリックで調べられます。

また、Amazonの商品ページに価格推移や他ECサイトの価格などさまざまな追加情報が表示されるようになります。

そのなかに「EAN」という欄があるので探してみてください。

EANとは、日本では「JANコード」と呼ばれ、日本で最も普及している商品識別コードのこと。このコードをワンクリックでコピーできるのもモノサーチの特徴です。

コピーしたJANコードを、他のECサイトの検索窓に入力して検索することで、同一商品の情報を速やかに検索できます。

このようにモノサーチは非常に便利なツールです。検索したいサイトを追加登録するなど、いろいろとカスタマイズも可能です。ぜひ導入して活用してみてください。

拡張機能「モノサーチ」を導入したChromeで表示したAmazonの画面

1日どれくらい調査するべき？

❶商品レビューをチェックする
❷ランキングをチェックする
❸競合出品者をチェックする
❹日米の価格差をチェックする

上記の手順で行うリサーチの一連の流れを解説してきました。

Amazon.comは英語のサイトですし、最初のうちはどこを見ていいのかわからず戸惑うかもしれません。しかし、繰り返しリサーチしていくうちにコツをつかんで、スピーディーにできるようになるはずです。

大事なことは、リサーチに毎日一定の時間を確保することです。毎日継続することで相場観もつかめるようになります。

月に10万円の利益を得たいのであれば、最低でも1日1～2時間はリサーチするようにしましょう。

4-6

1カ月以内に売れる物“だけ”を仕入れる

なぜ、1カ月で売り切らないといけないのか

商品が売れなければ利益も何もありません。日米で価格差があって利幅の大きい商品を仕入れたとしても、売れなければ利益は確定しないのです。利益確定までに半年も1年もかかっていては、資金は回転しません。

反対に、商品一つひとつの利幅が少なくても資金をたくさん回転させられれば、トータルでの利益は大きくなります。どれだけ資金を回転させられるかが、売上・利益を上げるためのポイントなのです。

まずは速やかに売上を上げることを考えると、売れるものだけを仕入れることが大切です。「3-1 資金管理を徹底し利益を最大化する方法」でも触れましたが、「1カ月以内に売れるものだけを仕入れる」ことが鉄則といえるのです。

なぜ「1カ月以内」なのか。それは、仕入れの資金に関係してきます。現金を潤沢に持っている人であれば、資金の回転は気にする必要はありません。持っている現金でたくさんの商品を買い、売れるまでのんびり待てばいいのです。

しかし、多くの人は現金を潤沢には持っていません。現金が少ない

のであればクレジットカードに仕入れを頼るしかありません。

クレジットカードの枠を中心に物販ビジネスを展開するのであれば、クレジットカードの支払いサイトを気にする必要があります。クレジットカードの支払いサイトは基本的に45日から60日。商品を購入してから最長でも60日後には、銀行口座から代金が引き落とされてしまいます。

では、その45日から60日の間に売り切ったらどうなるでしょうか。**クレジットカードの枠内だけで仕入れをして、商品を売り上げて、Amazonから売上の入金があり、その売上金のなかからクレジットカード代金を支払うというサイクルが完成します。**

これならば手持ちの預金を減らすことなく、また黒字倒産のリスクもなく、利益を積み上げていくことが可能になります。

そして、手持ちのクレジットカードの枠に応じてビジネスの規模を拡大していくことが可能になります。クレジットカードの枠が合計100万円なら100万円の仕入れを、合計500万円なら500万円の仕入れが可能です。

普段のクレジットカードの利用額とは桁の違う、数百万円もの買い物を継続的に行うことに最初のうちは戸惑ってしまうかもしれません。「こんなにカードを使って大丈夫かな？」と不安になる人もいるでしょう。

しかし、1カ月以内にきちんと売れる商品を仕入れているのであれば問題ありません。仕入れ額がいくらになっても、原則さえ守っていればしっかりと売上・利益を上げることができます。

クレジットカード仕入れの恩恵

クレジットカードで多額の仕入れを行うことで、ポイントやマイルがたくさん貯まるというメリットもあります。

私も毎月1,000万円を超える仕入れをクレジットカードで行っているので、いろいろな種類のポイント、マイルが貯まっています。

どのくらい貯まるかというと、毎月マイルで海外旅行へ行って、ホテル代をポイントで支払えるくらいです。友達や家族、親などにマイル旅行をプレゼントすることもあります。

日々のコンビニでの支払いは楽天ポイントやTポイントだけで済みますし、その他日常生活で必要になる支払いの多くをポイントでカバーしています。

そしてクレジットカードは使えば使うほど、枠が大きくなり、ポイントなどの特典も豪華になっていきます。

私が物販を始めたばかりの頃、クレジットカードの枠はたった30万円しかありませんでした。しかしその30万円を回転させることで、コツコツと実績を作っていきました。

次第にカードの枠は増えていき、複数のカードを持てるようになり、ビジネスの拡大に成功しました。

今は枠が少ないという人も、仕入れや資金管理の鉄則を守り、輸出物販ビジネスを継続していけば、着実に利益が積み上がり、クレジットカードの枠も増えていくはずです。

4-7

中古カメラ仕入れを爆速で行うツール

中古カメラ仕入れの注意点

輸出物販の主力商品である中古カメラ・レンズの仕入れをさらに効率化する方法をご紹介します。

中古カメラは家電製品なので、アメリカのAmazonで新品を出品することはできません。

なぜならば、アメリカで買った人がアメリカ国内で保証を受けられないからです。日本で新品を仕入れた時には必ず保証書が付いてきますが、それをそのままアメリカに送ったとしても、アメリカの購入者が保証を受けられるわけではありません。

したがってカメラなどの家電製品は、中古のものしか出品できないとご理解ください。

では中古カメラを出品するうえで、どのようにして仕入れリサーチを行えばいいのでしょうか。

本章で説明してきたように、「ASINコード」を使った検索はできません。同じ商品でも家電製品は、日本とアメリカでASINコードが異なるからです。

例えば同じ型番のニコンのカメラでも、アメリカで売られているものはアメリカ（英語）仕様、日本で売られているものは日本仕様になっています。保証書の言語やディスプレイの表示言語が異なるからです。

例えばAmazon.comで見つけたカメラのASINコードをコピーし、日本のAmazonで検索すると、並行輸入品が表示されてしまいます。逆も同じで、日本のAmazonのASINコードを使ってアメリカのAmazon.comで検索すると、日本版の製品が表示されてしまいます。

商品自体は同じものであり、設定画面で表示言語さえ変更すれば利用できるとはいえ、並行輸入商品は売れにくいのが事実です。

そこで中古カメラを出品するために検索する場合には、アメリカ仕様のASINコードを利用する必要があります。これを大前提として覚えておいてください。

中古カメラ仕入れの手順

では、具体的に仕入れる商品をリサーチしていきましょう。

調べる内容は前述した通り、❶レビュー、❷ランキング、❸出品者、❹価格差です。

ランキングは大カテゴリーの「Electronics」のなかで10万位以内であれば優秀です。小カテゴリーの「Digital Cameras」のなかではランキング3桁台が理想です。

価格を見る時には注意が必要です。Amazonの商品ページには通常、新品の価格が目立つところに表示されているからです。

私たちは新品ではなく中古品を販売するので、知りたいのは中古で売られている商品の価格です。そこで、「New & Used (XX) from」の部分をクリックします。

すると、新品・中古も含めた出品商品の一覧が表示されます。このなかから、「Very Good」以上の商品を参考価格にします。それなりに状態が良く、付属品もそろっているのが「Very Good」の商品です。

出品者一覧を表示させ、中古価格を調べる

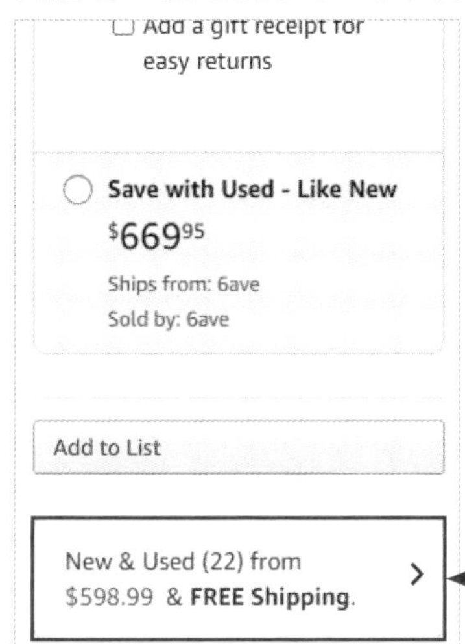

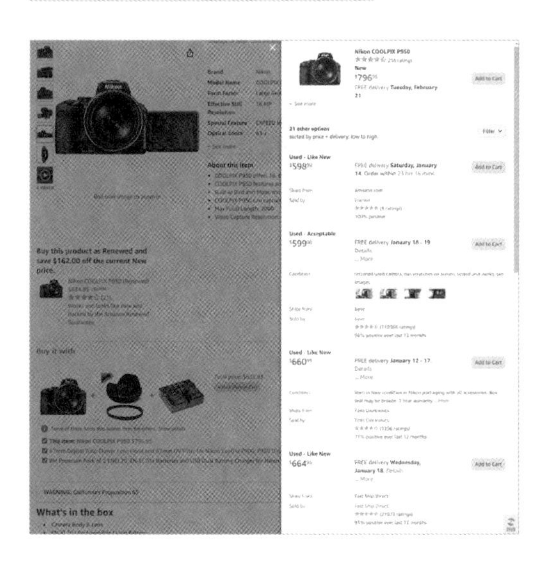

売れている商品で、コンディションが「Very Good」の商品の価格を調べたら、日本のAmazonで同じ商品を探しにいきます。

この時、先ほど説明した通りASINコードは検索に利用できないので、型番をコピー&ペーストして検索してください。

そして日本のAmazonで販売されている中古品を表示させ、コンディションが「非常に良い」「良い」の価格を調べます。

重要なのはこの時に必ず、「prime」マークが付いている出品者を見ることです。

primeマークが付いていない出品者は、Amazonの倉庫に商品を保管するのではなく、自社の倉庫に商品を保管し、発送も自社で行っています。送料がかかってしまうため、表示されている価格より高い金額を購入者は支払うことになります。

正確な価格比較をするためにも「prime」マークが付いている人だけに着目するようにしてください。

日本のAmazonでも同様に中古価格を調べる

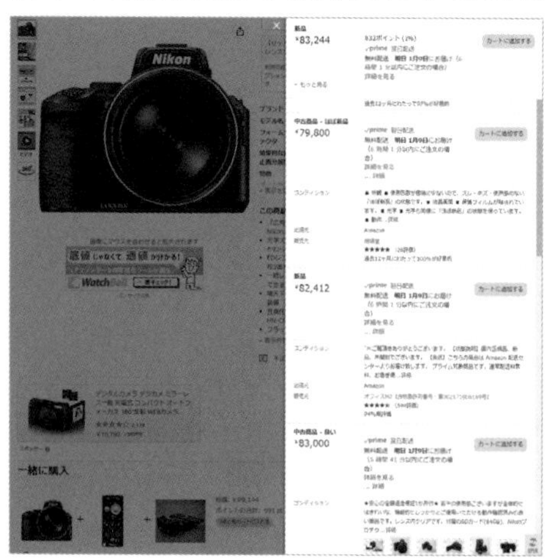

このようにして日米の商品の価格を調べたところ、

- アメリカ　100,000円
- 日本　85,000円

となり、15,000円の価格差があることがわかりました。一定の価格差があり、仕入れ候補になりそうな商品だと思えるのではないでしょうか。

ただし10万円で売れたとしても、10万円がそのまま入ってくるわけではありません。海外送料とAmazon手数料を差し引く必要があります。

第2章の「2-8　海外発送における送料マネジメント」で、カメラやレンズは「1本当たり3,000円の送料を見込んで仕入れる」と説明した通り、送料は3,000円と設定します。

Amazonに支払う手数料は商品によって異なりますが、カメラなどエレクトロニクス製品の場合は売上の8%です。それに加えて、出荷費用やFBA倉庫の保管手数料などがかかるため、トータルで9〜10%を見込んでおけばOKです。

つまり約10万円の商品なら、約9,000円をAmazonに支払うことになります。これらをまとめると、

売上100,000円－仕入れ85,000円－送料3,000円－手数料9,000円＝3,000円

となります。売上100,000円に対して利益3,000円ではちょっと寂しいですね。売上に対する利益率は最低10%を確保したいので、もう少し価格差がある商品を探すことにしましょう。

便利なツールで仕入れを加速する

1個1個の商品をこのように調査し、得られる見込みの利益を計算してから仕入れを行うわけですが、「ちょっと面倒くさそう」と思うかもしれません。確かにやや手間のかかる作業ではあります。

そこで私は、この作業をもっと効率的にできないかと研究し、便利なツールを開発しました。**それがここで紹介する「爆速仕入れツール」です。**

私が今まで実際に販売してきたカメラ商品の情報に関する、販売・仕入価格情報を掲載したツールです。膨大な種類のカメラ・交換レンズの情報を網羅しています。

爆速仕入れツールの商品一覧画面

商品名
Sony FE 70-300mm SEL70300G F4.5-5.6 G OSS Lens
Sony HVL-F45RM Compact, Radio-Controlled GN 45 Camera Flash with 1" Display, Black
Sony HVLF32M MI (Multi-interface shoe) Camera Flash Black
Sony SEL16F28 16mm f/2.8 Wide-Angle Lens for NEX Series Cameras
Sony SEL30M35 30mm f/3.5 e-mount Macro Fixed Lens
Sony SEL35F14Z Distagon T FE 35mm F1.4 ZA Standard Prime Lens for Mirrorless Cameras
Sony SEL50F14Z Planar T* FE 50mm F1.4 ZA Lens
Sony SEL85F18 85mm F/1.8-22 Medium Telephoto Fixed Prime Camera Lens, Black
Sony SEL90M28G FE 90mm f/2.8-22 Macro G OSS Standard Prime Lens for Mirrorless Cameras
Sony SEL100F28GM 100mm f2.8 Medium-telephoto Fixed Prime Camera Lens, Black
Sony SEL1224G 12-24mm f/4-22 Fixed Zoom Camera Lens, Black
Sony SEL1635GM 16-35mm f/2.8-22 Fixed Zoom-Camera Lens, Black
Sony SEL1655G Alpha 16-55mm F2.8 G Standard Zoom APS-C Lens
Sony SEL24240 FE 24-240mm f/3.5-6.3 OSS Zoom Lens for Mirrorless Cameras
Tamron 10-24mm f/3.5-4.5 Di II VC HLD Wide Angle Zoom Lens for Canon APS-C Digital SLR Cameras
Tamron 10-24mm f/3.5-4.5 Di II VC HLD Wide Angle Zoom lens for Nikon APS-C Digital SLR Cameras
Tamron 16-300mm f/3.5-6.3 Di II VC PZD All-in-One Zoom for Nikon DX DSLR Cameras
Tamron 17-70mm f/2.8 Di III-A VC RXD Lens for Sony E APS-C Mirrorless Cameras
Tamron 18-200mm Di III VC for Sony Mirrorless Interchangeable-Lens Camera Series AFB011-700 (Black)
Tamron 24-70mm f/2.8 G2 Di VC USD G2 Zoom Lens for Nikon Mount
Tamron AF 10-24mm f/3.5-4.5 SP Di II LD Aspherical (IF) Lens for Canon Digital SLR Cameras (Model B001E)
Tamron AF 18-200mm f/3.5-6.3 Di II VC All-in-One Zoom for Canon APS-C Digital SLR
Tamron AF 18-200mm f/3.5-6.3 Di II VC All-in-One Zoom for Nikon APS-C Digital SLR
Tamron AF 28-75mm f/2.8 SP XR Di LD Aspherical (IF) for Canon (Model A09E) - International Version (No Warranty)
Tamron AF 28-75mm f/2.8 SP XR Di LD Aspherical (IF) with Built In AF Motor for Nikon Digital SLR Cameras (Model A09NII)
Tamron AF 60mm f/2.0 SP Di II LD IF 1:1 Macro Lens for Nikon Digital SLR Cameras (Model G005NII)
Tamron AF 70-200mm f/2.8 Di LD IF Macro Lens for Pentax and Samsung Digital SLR Cameras (Model A001P)
Tamron AF 70-200mm f/2.8 Di LD IF Macro Lens for Sony Digital SLR Cameras Model (A001S)
Tamron AF 70-200mm f/2.8 Di LD IF Macro Lens with Built-in Motor for Nikon Digital SLR Cameras (Model A001NII)
Tamron AF 70-300mm f/4.0-5.6 SP Di VC USD XLD for Canon Digital SLR Cameras

爆速仕入れツールの商品個別画面

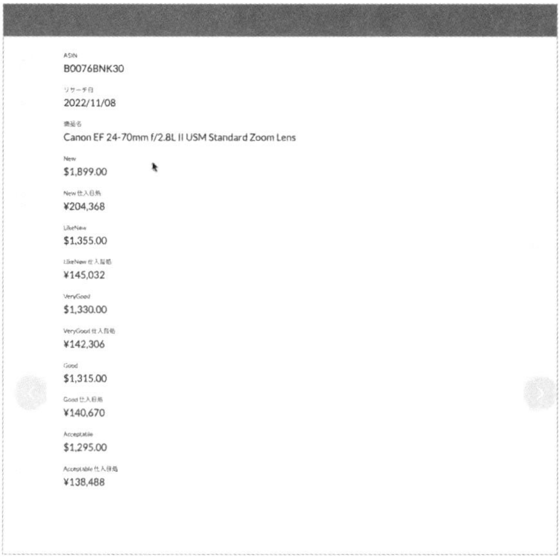

ASIN
B0076BNK30
リサーチ日
2022/11/08
商品名
Canon EF 24-70mm f/2.8L II USM Standard Zoom Lens
New
$1,899.00
New 仕入目処
¥204,368
LikeNew
$1,355.00
LikeNew 仕入目処
¥145,032
VeryGood
$1,330.00
VeryGood 仕入目処
¥142,306
Good
$1,315.00
Good 仕入目処
¥140,670
Acceptable
$1,295.00
Acceptable 仕入目処
¥138,488

この爆速仕入れツールを使えば、商品の型番ごとに、以下の情報をワンクリックで表示できます。

- New（新品）価格
- New（新品）の仕入れ目処
- LikeNew（ほぼ新品）の販売価格
- LikeNew（ほぼ新品）の仕入れ目処
- Very Good（とても良い）の販売価格
- Very Good（とても良い）の仕入れ目処
- Good（良い）の販売価格
- Good（良い）の仕入れ目処
- Acceptable（可）の販売価格
- Acceptable（可）の仕入れ目処

このツールを活用することで、例えば、「キヤノンの〇〇という商品をVery Goodのコンディションで取り扱い、利益率10%を確保するなら、販売価格は$1,330ドル、仕入れ目処は142,306円になる」ということが瞬時にわかります。

なお、各商品の価格情報はスタッフが毎日チェックして常に最新のものを掲載しています。また、為替レートは自動で反映されることになっているので、常に最新の価格情報を知ることができます。

ターゲットとする利益率は初期設定では10%にしています。

海外への送料は20ドル、販売手数料は11%で設定しています。実際のAmazonの販売手数料は8〜10%ですが、それ以外に関税がかかる可能性があるため、余裕を持って11%にしています。

なおターゲット利益率や手数料は自分で設定変更が可能です。

慣れないリサーチに時間がかかってしまう初心者のうちは、こういったツールを使って仕入れを加速させるのも1つの手です。

宣伝になって申し訳ありませんがリンクを貼っておきますので、もしよかったら見てみてください。

○爆速仕入れツール

https://infinitusvalue01.com/us1633105266284

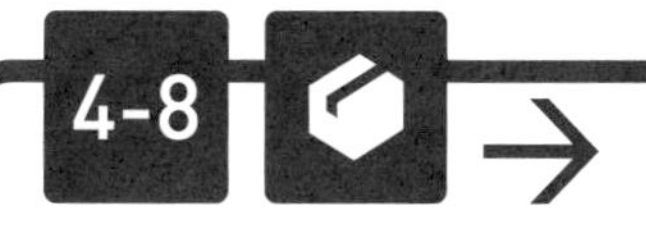

海外輸出における利益計算の考え方

Amazonのシミュレーターを使う

海外発送における送料の管理については2章で説明しましたが、輸出物販にかかる経費は送料や関税だけではありません。Amazonの販売手数料も支払う必要があります。

販売手数料の計算は、Amazonが提供しているシミュレーターを使って行います。

○料金シミュレーター

https://sellercentral.amazon.com/hz/fba/profitabilitycalculator/

●手順1

Amazonストアに「US」を選び、検索窓にASINコードを入力して【検索】をクリックします。

●**手順2**

料金シミュレーションの結果が表示されます。Amazon FBAを利用して発送するわけですからで、「Amazonから出荷」のところを確認してください。

商品価格については自動的に新品価格が入っていますが、ここに中古で販売する場合のターゲット価格を入力します。すると自動的にAmazon手数料や出荷費用などが再計算されます。

例えば、あるカメラを719ドルで売ろうとしているとします。料金シミュレーターに719ドルと入力すると、

- 商品あたりの費用　$66.14
- 純利益　$652.86

と表示されました。つまり、719ドルで販売すると、手数料を引かれて652ドルがセラーに入金されるということ。これは損益分岐点が652ドルであることを意味します。

この652$を日本円に換算すると、1ドル＝130円なら84,760円。

ここから海外に送る送料3,000円を差し引くと、81,760円です。

では719ドルで売ろうとしているカメラをいくらで仕入れればいいのか。72,000円で仕入れられれば、10,000円弱の利益が得られます。75,000円で仕入れれば利益は7,000円弱です。

このようにして手数料を正確に把握することで、仕入価格の目安が明らかになります。

後は日本のECサイトや店舗を探して、目安の価格でカメラが売られているかどうかを調べるだけ。売られていたら即仕入れを行い、速やかに梱包してアメリカに送る、という流れになります。

4-9

利益を大きく伸ばすなら新品大量仕入れ

大量仕入れは新品がおすすめ

物販における売上アップの手法として、「大量仕入れ」があります。一つ一つリサーチして販売して、数千円の利益を積み重ねていくことも大事ですが、月利10万円を超えて、20万円、30万円、そして100万円を狙っていくとなると、「大量仕入れ」が鍵になってきます。

大量の商品を仕入れることは、一つひとつ個別の商品を仕入れる方法と比べると、作業効率が大きく異なります。当然ながら同じ商品をまとめて大量仕入れをする方が手間はかかりません。

販売においても、商品の画像や説明文の設定はそのままで、いくつも同じ商品を出品できるため、出品作業の負担軽減につながります。リサーチする手間も不要で、在庫がなくなったら補充して、なくなったら補充して……を繰り返すだけなのでいろいろと非常に楽です。

大量仕入れの原則は、中古品よりも新品にすべきということです。

その理由は、Amazonで中古の商品を納品した時に、同じASINコードの商品で出品できるのは1個までだからです。例えば同じASINコードで、コンディションの異なる中古品を複数在庫したとしても、出品情報は1個分しか表示されないということです。

しかし新品の場合は、同一商品を複数出品でき、在庫が多数あることをユーザーに示すことができます。新品なら、一度に複数個の同じ商品を注文されることもあり得るのです。

そのため、同一商品を大量に仕入れて大量に販売する際には、中古よりも新品の方がおすすめというわけです。

中古品は1個分しか在庫が表示されない

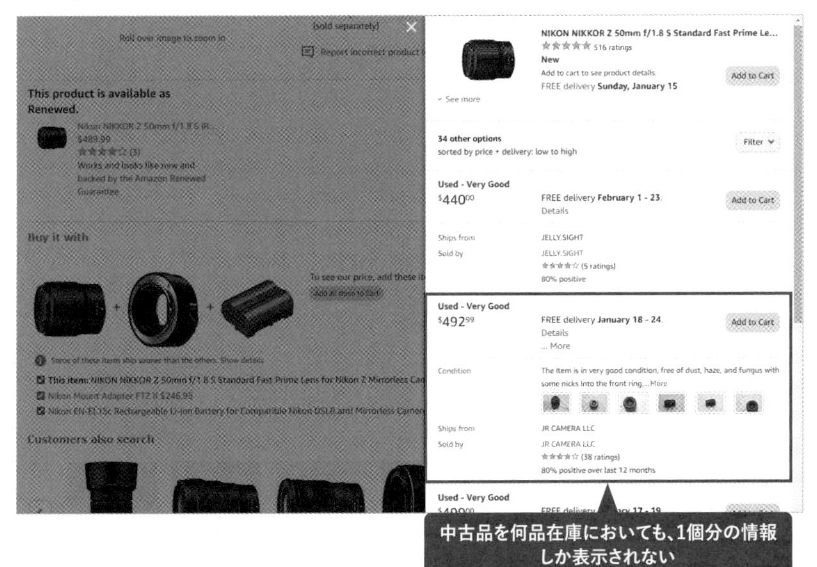

フリマアプリは穴場

新品を大量に仕入れる際におすすめの方法が、メルカリやラクマなどのフリマアプリの活用です。

フリマアプリでリサーチを行う際に、「新品未使用」に加え、例えば「3台」「セット」といったキーワードを入力して検索してみます。

また「○万円以上」と条件を設定して絞り込むのもいいでしょう。

このように検索をすることで、検索結果にまとめ売りの商品が一覧で並びます。その結果を詳しく見ていくと、利益の出そうな商品を発見できる場合があります。

大量仕入れのできる出品者を見つけたら、その出品者の出品リストをチェックしてみるのも有効な方法です。

フリマアプリに限らず、他のECサイトや実店舗で購入するのもいいでしょう。例えば量販店の店舗で利益の出そうな商品が見つかったら、店頭に並んでいるものだけでなく、倉庫にあるもの、他店の在庫まで調べてもらって大量に仕入れるというのもアリです。

大量仕入れの注意点

大量仕入れを行う際にいくつかの注意点があります。

●転売目的の購入がOKか

店舗によっては購入数の制限があり、転売目的での購入がNGのケースもあります。個人の名前で購入するとしても、大量の場合は転売目的と判断され、購入をキャンセルされる可能性もあります。

ただし、商品の大量購入や転売そのものが違法というわけではありません。転売目的だとわかっていても店舗側が容認しているケースもあります。店舗によって対応が異なるので、購入前に確認しておきましょう。

店員とコミュニケーションを取って率直に話ができるような関係を構築すれば、転売目的の購入も黙認してくれる場合があります。

●誰でも簡単に購入できる商品は避ける

誰でも入手できる商品の場合、数日後にはAmazon出品者のライバルが急増しているかもしれません。ライバルが増えると価格が下がっていく傾向にあります。

大量仕入れで狙うべき商品は、入手経路が限られている限定品、個数制限のある人気商品、廃盤品などです。購入できるチャンスを見つけたら、ライバルが増える前にまとめて仕入れるのがよいでしょう。

●回転率の高い商品を選ぶ

大量仕入れで失敗しないためには、商品ごとの回転率をしっかりと見定めることが重要です。

現在の売れ行きが好調だとしても、それが一時的なトレンドで売れているのか、今後も安定して売れ続けるのか、慎重に判断する必要があります。

物販初心者のうちは、利益率の高さで仕入れる商品を選びたくなるかもしれません。もちろん利益率は大切な要素ですが、在庫リスクを避けるためにも、商品の回転率をよく確かめておきましょう。

●複数の販売先を用意しておく

大量仕入れをした結果、Amazon上での価格競争に巻き込まれて安値でしか売れなくなるパターンもあります。

Amazonで利益を出せなくなった商品は、フリマアプリやオークションなど他の販売先で売るのも1つの選択肢です。状況が変わった場合に備えて、複数の販売先での出品に慣れておくことをおすすめします。

●大量仕入れで資金をすべて使い切らない

大量仕入れはメリットも大きいですが、商品選定を誤ると儲からないばかりか、下手したら赤字になってしまいます。しかも、大量に同じものを仕入れるわけですから赤字額も巨額になります。

黒字だったとしても、仕入れ量の増やし過ぎには十分な注意が必要です。売れるスピードが遅ければ資金不足の原因になりかねません。

手持ちの資金をすべて使い切るのは避けて、無理のない範囲で仕入れを行うようにしましょう。

大きな収入を得たいなら大量仕入れのマスターを

大量仕入れを行うなら、その商品を仕入れる根拠を明確にしたいところです。利益率や回転率の問題、ライバル急増の可能性など、考えるべき点は多々あります。

特に物販初心者は、知識不足が原因で「売れない商品を大量に仕入れてしまった……」という失敗も少なくありません。**カツカツの資金でやるのではなく、余裕ある資金を確保したうえで、大量仕入れにチャレンジする商品を選びましょう。**

大量仕入れに適した商品を見つけるのは難しく、また、スピーディーに売りさばくにもコツが必要です。

しかし、物販で月に50万円、100万円と稼いでいる人たちは、必ずこの大量仕入れを行っています。本業の収入よりも多くの額を物販で稼ぎたいなら、大量仕入れを避けて通ることはできません。

物販に慣れてきたらぜひ大量仕入れにチャレンジしてください。

4-10

店舗仕入れのポイント

新品と中古のポイント

本書ではネットショップからの仕入れを中心に解説してきましたが、リアルの店舗も重要な仕入れ先の1つです。

店舗での仕入れは現地に行く手間があるものの、ライバルの少ない地域であれば利益が出る商品を見つけやすく、大きく稼げる可能性を秘めています。

店舗にも新品を扱う店と中古を扱う店があり、新品と中古品で仕入れのポイントが異なります。

●新品の場合

新品を仕入れる際には、利益の出やすい型落ち品や在庫処分品を探してみましょう。例えば家電量販店の場合、メーカーからの買い付けを頻繁に行っているため、セール品も店頭に多数出回ります。

店舗仕入れのメリットは、店員とコミュニケーションを取りながら仕入れを行える点です。店舗によって値引きの仕方、値引きの成功率も異なるので、自分と相性の良い店舗を探してみてください。できれば店長や副店長など決定権のある人と交渉すると話がスムーズです。

もしチェーン店で利益の出そうな商品を見つけた場合は、近隣店舗の在庫を併せて確認することをおすすめします。そして在庫があったら取り置きしてもらいましょう。

●中古品の場合

中古品を扱う店舗のなかには、Amazonなどネットの中古相場をよく確認しないまま売値を決めている店もあります。そのような店に当たれば、誰にも気づかれていないお宝商品が見つかるかもしれません。

中古品はフリマアプリでも多数出回っていますが、現物を確認できない難しさがあります。一方、実店舗で商品を仕入れる際には自分の目で状態をしっかりチェックできるため、不良品を仕入れるリスクも下がるでしょう。

店舗仕入れ先のおすすめリスト

仕入れに使える店舗の一例は次の通りです。自宅付近の地図を見ながら、仕入れに使える候補を探してみてください。

なお店舗によっては「転売お断り」の場合もあるのでご注意ください。

必ずチェックしたいのは家電量販店です。家電量販店はチェーン店なので価格は統一しているように思えますが、実は店舗ごとにある程度の裁量が与えられていて、同じチェーンの他店よりも安い場合があります。

また、家電量販店同士で競い合っているので、「あの店で10,000円だったから、こちらでは9,500円に値引きしてください」といった交渉がやりやすいです。

自宅から行ける範囲の店舗はすべてリサーチするべきでしょう。

❶家電量販店

ヤマダデンキ、ケーズデンキ、エディオン、ノジマ、ヨドバシカメラ、ビックカメラ、コジマ、Joshin（ジョーシン）、ベスト電器など。

❷ホームセンター

コメリ、カインズ、ビバホーム、島忠ホームズ、ナフコ、コーナン、ジョイフル本田、DCMダイキ、ケーヨーデイツーなど。

❸ショッピングモール

イオン、イトーヨーカドー、西友、アリオ、ゆめタウン・ゆめマートなど。

❹リサイクルショップ

ブックオフ、ハードオフ、ホビーオフオフハウス、古本市場、セカンドストリート、トレジャーファクトリー、カメラのキタムラなど。

❺ディスカウントショップ

コストコ、ドン・キホーテ、ヴィレッジヴァンガード、ジャパン、ダイレックス、ミスターマックス、トライアルなど。

❻その他

西松屋、トイザらス、ベビーザらス、駿河屋、アニメイト、GEO（ゲオ）、TSUTAYAなど。

値引き交渉の方法

店舗仕入れに慣れてきたら、様子を見ながら値引き交渉にチャレンジしてみましょう。交渉を行う際のポイントは以下の通りです。

●希望の価格を明確に伝える

商品ごとに値引きの許容範囲があり、その範囲内であれば値引きに応じてもらえる可能性があります。最初に「予算は〇円です」と明確に伝えておけば、話をスピーディーに進められます。

●他店のポイント還元分と比較する

ライバル店とほぼ同じ価格で販売しているものの、ライバル店では10％分のポイントが付く、といったケースがあります。その場合は、「ポイント10％分を値引きしてください」と交渉をすると意外とスムーズに値引きしてもらえることがあります。

●他店のレシートや値札を活用する

他店のレシートや値札を撮った写真など、交渉材料を準備してから値引き交渉に挑むのもおすすめです。

私の場合は、物販スクールの生徒さんたちと協力して、各店舗の価格情報を共有し合って値引き交渉の材料にしています。物販仲間がいるとこういったことができますね。

店舗によっては、「他店より高い場合はご相談ください」といった文言を見かけることもあります。しかし、「※インターネット通販の最安値を除く」と断り書きがあることも。そのため、実店舗の価格を交渉材料として用意するとよいでしょう。

●まとめ買いをする

1点だけでは値下げできない場合でも、大量購入を条件に値引きしてもらえることがあります。

店舗側としても、在庫を早めに売り切りたいという考えがあるため、まとめ買いしてくれるお客さんはありがたい存在です。交渉を遠慮する必要はありません。店舗側のメリットも意識しながら交渉を進めてみてください。

店舗仕入れのおすすめアプリ

店舗仕入れする際におすすめのアプリがいくつかあります。

●ロケスマ

「家電量販」「ホームセンター」「リサイクルショップ」「ディスカウント」「コミック/ホビー」といったカテゴリー別に、現在地近くにある店を地図上に表示してくれるアプリです。大手のチェーン店の情報はほぼ網羅しています。

これを使うと店舗仕入れが楽になります。ある店舗に出向いたら、その周辺に家電量販店やホームセンターを調べて、それらの店も訪問する、という使い方ができます。

ちょっと遠出して旅行感覚で店舗リサーチするのも楽しいですよ。

●Keepa

KeepaはAmazonの価格履歴を調べられるアプリです。Chromeの拡張機能もあるのでPCで使うこともできます。

店頭で仕入れ候補となる商品を見つけたら、Amazonのサイトに行って価格を調べます。そしてASINコードをコピーして、それからKeepa

アプリを開いて価格推移を確認します。そして売れている様子が確認できたら仕入れを判断します。

何よりまずは近くの店舗に行って、いろいろな商品を見てみることが大切です。時間を作って店舗仕入れにチャレンジしてください。

Chapter

5

基本を学んだらその先へ ～中・上級テク～

Chapter4まででAmazon輸出物販をスタートさせるために必要な基本要素はすべてお伝えしてきました。最後の章では、基本を押さえたうえでさらに一歩先の利益を生み出すためのテクニックを、個別にご紹介していきます。ちょっとしたコツを学ぶだけで大きな成功を収めることができるので、ぜひトライしてみてください。

5-1

消費税還付を受ける

消費税還付の仕組み

第4章までで輸出物販ビジネスの基本を学んできました。第5章では基本から一歩進んで、税金対策の詳細や次のステージへの展開について解説していきます。

まずは、海外輸出ビジネスを展開するうえで重要なポイントの1つである消費税還付について説明します。

消費税還付とは、仕入れの際に支払った消費税が戻ってくるという手続きです。

消費税還付を受けるには確定申告をする必要があり、そのために用意する書類はたくさんあります。税務署から問い合わせがあったり、税務調査が入ったりした時に、各種書類をすぐに提出できる状態にしておかなければ、最悪の場合に還付が認められなくなることもあります。

確実に還付を受けるためにも、消費税還付の仕組みや必要な書類について理解してください。

消費税の仕組み(国内物販)

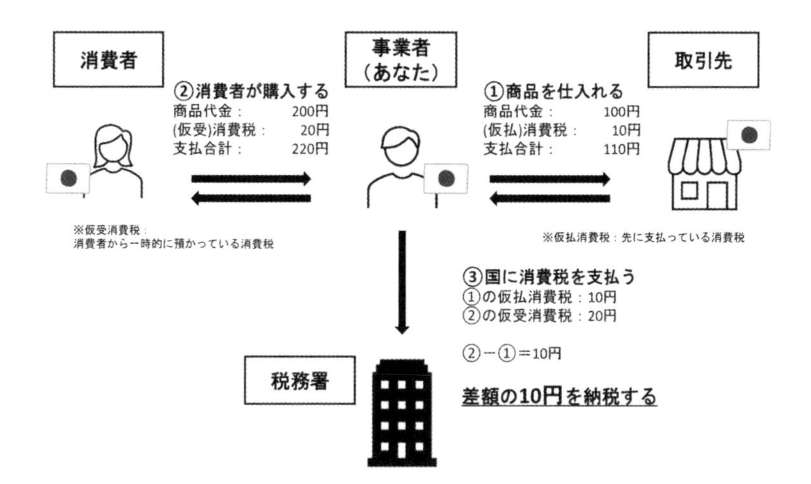

●消費税の仕組み(国内物販)

まず重要なポイントは、「**そもそも消費税は、事業者が負担する税金ではない**」ということです。では誰が負担するかというと、商品・サービスを購入した消費者です。事業者はその消費者から消費税をいったん預かって、税務署に納税する役割を担っています。

この点を踏まえて、国内での商取引における消費税の基本的な仕組みについて簡単に解説します。上の図「消費税の仕組み（国内物販)」を見ながら読み進めてください。

❶商品を仕入れる

まず、事業者であるあなたは取引先から商品を仕入れます。この時、商品代金100円と消費税10円で、合計110円を支払います。

この10円は「仮払消費税」です。仮払消費税とは、仕入れなどの際に支払う税金のこと。税務署に消費税を払う前に、先に預かってもらうことから「仮払」という名称になっています。

❷消費者が購入する

次に、あなたの商品を消費者が購入しました。消費者は、代金200円と消費税20円の合計220円をあなたに支払います。この20円を「仮受消費税」といいます。

本来は消費者が納めるべき消費税を、事業者がいったん預かっている状態のため、「仮受」という名称になっています。

❸国に消費税を支払う

消費者から預かった仮受消費税の20円と、先に支払った仮払消費税の10円を相殺して、その差額である10円を国に納税します。

勘違いしている人も多いのですが、消費者に販売した時に預かった消費税20円を丸ごと納めるわけではないのです。

これが消費税還付の基本的な仕組みです。

消費税還付の仕組み（海外物販）

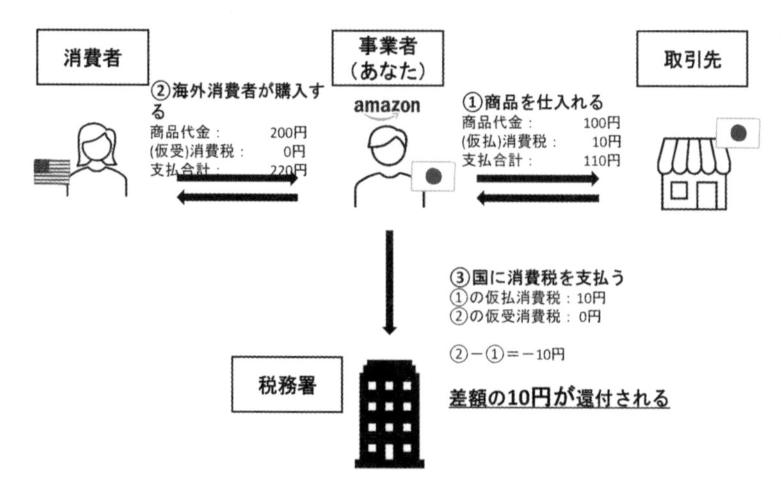

●消費税還付の仕組み

次に、海外輸出事業を行った時に消費税が還付される仕組みについて解説します。

消費税還付を受けるために知っておきたいことは2つあります。

1つは、消費税還付は本則課税でないと受けられないということです。

消費税の計算方法は大きく「簡易課税」と「本則課税」に分かれます。消費税の還付を受けるには、「本則課税」で消費税を計算し、申告しなければなりません。

なお「簡易課税」の適用を受けたい場合、税務署に届出をする必要があるので、何もしなければ「本則課税」が適用されることになります。

もう1つ前提として知っておきたいことは、消費税が課税されない売上・経費があるということです。

消費税が発生しない売上の代表例が、海外での売上です。つまりアメリカのAmazonで商品を売った時の売上には、消費税は発生しません。

一方、消費税が発生しない経費には、海外の事業者へ支払った経費、従業員へ支払った給料、ローンの利息、居住用賃貸物件の家賃などがあります。

この点を踏まえて、左ページの図の「消費税の仕組み（海外輸出）」をご確認ください。

❶については国内と同じです。国内の取引先から仕入れる際、消費税を支払います。

❷の時、取引相手は海外の消費者なので、消費税は発生しません。そのためあなたは、仮受消費税を受け取ることはなく、本体代金のみを受け取ることになります。

❸で❷－❶を計算します。仮受消費税0円に対して、仮払消費税10円を取引先に支払っているため、合計－10円となります。つまり、消費税を余計に10円払っているということ。そこで消費税還付の手続きを行うと、仮払いしていた消費税の10円が戻ってくることになります。

これが消費税還付の基本的な仕組みです。

消費税還付が受けられる事業者は……？

なお、消費税の納税義務があるのは課税事業者であり、免税事業者には納税義務はありません。よって、消費税還付を受けられるのも課税事業者に限ります。免税事業者と課税事業者の違いは以下の通りです。

- 免税事業者：消費税の支払い義務のない事業者（個人事業主・法人）のこと。事業を始めて間もない事業者や売上の少ない事業者は免税事業者です。前々年の課税売上高が1,000万円以下の場合は免税事業者。

- 課税事業者：消費税の支払い義務がある事業者（個人事業主・法人）のこと。前々年の課税売上高が1,000万円を超える場合は課税事業者となる。

免税事業者はそもそも消費税を納めなくても良いので、還付を受ける必要もないのです。

ただ、輸出物販事業を行っているうちに、売上高1,000万円くらいはすぐに到達し、課税事業者になるはずです。

また、次の項で説明しますが、2023年10月1日から開始される「インボイス制度」に対応するべく、売上高1,000万円未満であっても課税事業者になるという選択肢もあります。

課税事業者になったなら、消費税還付の手続きを確実に行い、支払った消費税を取り戻さなければなりません。

消費税還付のために用意しておくべき資料

消費税還付を申告する際に、用意しなければならない資料は以下の通りです。税理士に依頼する場合はもちろん、自分で確定申告を行う場合も、これらの資料はきちんと準備してください。

❶消費税（10%と8%）が発生している支払いと、発生していない支払いが明確にわかる書類

支払いに関して、消費税の内訳や消費税の非課税が明確にわかる各種書類を用意する必要があります。国内で仕入れた際の支払いについては、領収書などに消費税の内訳が書かれているはずなので問題ないでしょう。

消費税が発生しない支払いには、アメリカのAmazon.comの販売手数料、海外事業者のサービスを利用した時の利用料、賃貸用物件の家賃などがあります。

主なものはAmazonへの販売手数料でしょう。これはセラーセント

ラルの「ペイメント」から明細を表示できるので、毎月月末にダウンロードしておくとよいでしょう。

❷輸出許可証

輸出事業を行っている事業者は、輸出許可証を取得する必要があります。輸出許可証は、本書で紹介している「UGX Amazon FBA相乗り配送サービス」の管理画面上から発行申請できます。発送のたびに発行してもらってもいいですし、1年分をまとめて発行してもらうことも可能です。

UGX以外を使う場合は、輸出許可証を紙で渡されることもあります。この紙を紛失すると大変なので確実に管理してください。

❸関税などの内訳がわかる資料

「UGX Amazon FBA相乗り配送サービス」を使っている場合、郵便局の国際郵便の担当から月に一度、輸出貨物に関する明細PDFがメールで届きます。このPDFに関税の内訳も記載してあります。捨てないように保管のうえ、印刷しておくとよいでしょう。

❹仕入れの請求書や納品書、明細、クレジットカード明細

消費税還付の申請をした後、高い確率で税務署から問い合わせがあります（税務調査ではなく、あくまでも「問い合わせ」です）。その際、確認されることの多い資料が請求書や納品書です。きちんと保管しておき、問い合わせがあったらすぐに提出できるように整理しておいてください。

海外輸出を行うなら、国内売上も作っておこう

なお、税務署から否認されることなく確実に消費税還付を受けるなら、海外輸出だけでなく、国内での販売も行い、国内売上を作っておくことが得策といえます。

なぜなら、「売上がすべて輸出事業」で、かつ「国内仕入れ→海外に発送→海外の倉庫に入庫→消費者に販売」という商流でビジネスを行っている事業者が申告した消費税は、全額還付にならないケースがまれに発生しているからです。

税務署によって、輸出に関する消費税還付の解釈に若干の違いが出ることがあります。また所轄地域に輸出事業者が少ない税務署であれば、担当者が輸出事業や消費税還付の知識に乏しい場合があります。

その結果、上記の条件に当てはまる事業者の消費税還付申告が全額認められないケースが出てきているのです。

消費税還付申告が否認されることを防ぐために必要な対策が、国内売上を作っておくことです。そのロジックについては複雑かつ専門的な内容なので解説を省きますが、私が長年お願いしている輸出に詳しい税理士が言っていることですから間違いありません。

国内の売上を作るには、日本のAmazonで何らかの商品を売ればいいだけ。あるいはアメリカのAmazonで販売した後に返品された商品を、日本に返送し、ヤフオクなどで売る。これも国内売上になります。

少しでも日本国内での売上があれば、あまり神経質にとらえなくても大丈夫です。

インボイス制度への対応

「益税」をなくすために生まれた

2023年10月1日から、仕入れ税額控除の新しい方式であるインボイス制度（適格請求書等保存方式）がスタートします。輸出販売事業者にも影響がある制度なので知っておく必要があります。

まずは基本用語からざっと説明します。

- 課税事業者：消費税の支払い義務がある事業者（個人事業主・法人）のこと。
- 免税事業者：消費税の支払い義務のない事業者（個人事業主・法人）のこと。事業を始めて間もない事業者や売上の少ない事業者は免税事業者です。
- 適格請求書（インボイス）：インボイス制度のルールに則った請求書や領収書のこと。
- 適格請求書発行事業者：インボイスを発行できる事業者のこと。適格請求書発行事業者になるには、国税庁に届出をする必要があります。

前項の「消費税の仕組み（国内物販）」を再度ご覧ください。

事業者であるあなたは、取引先に支払った消費税10円と、顧客から受け取った消費税20円を相殺して、差額の10円を国に納税する義務があります。

ただし、免税事象者の場合、消費税を納めなくてもいいというルールがあります。上記のケースでは、差額の10円を国に納めずに、自社の利益にしてもいいのです。これを「益税」と言います。

しかし、この「益税」について、課税事業者から「不平等だ」という声が上がっていました。また、この「益税」を無くして、全事業者から消費税を徴収すればば国の税収も上がります。

そこで創設されたのがインボイス制度というわけです。

ただし、全事業者が自動的にインボイス発行事業者になるかというと、そんなことはありません。冒頭でも説明したように、インボイス登録事業者になるためには、自ら登録手続きをする必要があるからです。

一方、登録手続きをしない事業者は、引き続き免税事業者として活動するか、あるいはインボイス未登録の課税事業者として事業を行います。

制度がスタートすると、仕入れ側商品を購入する事業者は大きな影響を受けます。インボイスを未登録事業者からの仕入れについては、消費税の仕入れ税額控除ができなくなるのです。

「5-1 消費税還付を受ける」で説明した「消費税の仕組み（国内物販）」の図でいえば、❶の段階で取引先に支払った消費税の10円が、❸の段階で差し引けなくなります。そのため❸の計算は20円－0円＝20円となり、20円の消費税を丸々納めなければならなくなります。

今まで消費税の支払いが10円で済んだものが、新制度の下では20円に倍増してしまいます。これは事業者にとって大きなデメリットです。

つまり2023年10月1日からは、「**インボイス登録していない事業者から仕入れ、代金を支払うと、消費税で損をする**」ことになるわけです。

ゆえに多くの事業者は、商品を仕入れる際、インボイス発行事業者から仕入れたいと考えることになるでしょう。場合によっては、「未登録事業者との取引は損をするから止めよう」と判断することもあるでしょう。

また、どうしてもインボイス未登録事業者から仕入れをしたい場合は、「消費税の負担が増えたんだから、その分、値下げしてよ」と交渉を持ちかけるケースも出てくるはずです。

そして商品・サービスを提供する側は、取引先から敬遠される事態を防ぐために、インボイス発行事業者になるケースが増えると考えられます。

輸出物販事業者としてどう対応するか

では、あなたはどう対応すればいいでしょうか。

●買い手の立場での対応

まず、買い手（仕入れ側）としての立場で必要な対応は、仕入れ先がインボイス発行事業者かどうか確認することです。

一般消費者を主な顧客としている事業主・個人店、Amazonやフリマサイトに出品している個人は、インボイス発行事業者として登録しないケースが多いと考えられます。

そのような事業者への支払いは、基本的に仕入れ税額控除の対象となりません（ただし2029年9月30日までは猶予期間があり、売上1億円以下の事業者が、1万円未満の経費を支払った場合にはインボイス不要で仕入税額控除の対象になる）。

そのため、仕入れ相手となる事業者がインボイス発行事業者かどうか確認のうえ、仕入れることが重要になります。

なお、大手のECサイトや量販店はインボイス発行事業者の登録を確実に行うと考えられるので、それらの事業者から仕入れる場合は心配不要です。

●売り手の立場での対応

次に、売り手の立場での対応を考えてみます。あなたは輸出事業者ですから、販売する相手はアメリカの消費者です。

アメリカの消費者が商品を買う時、日本の消費税とはまったく関係がありません。だからこそ出品者は、仕入れ時に支払った消費税が丸々返ってくる「消費税還付」が受けられるわけです。

この消費税還付を受けるためには、課税事業者であることが必須条件となります。課税事業者＝インボイス発行事業者ではありませんが、課税事業者になったなら、インボイスの登録をして発行事業者になってしまった方が、いろいろとシンプルになりますし、ビジネス面でも有利です。

結論として、課税事業者の条件（売上高1,000万円以上）に当てはまるか否かにかかわらず、課税事業者になり、さらにインボイス発行事業者になってしまった方がお得だと私は考えます。

インボイス発行事業者になるには？

なお、免税事業者が課税事業者かつインボイス発行事業者になるには、税務署に対して届出を出す必要があります。

まず、インボイス発行事業者になるために必要な届出は「適格請求書発行事業者の登録申請手続」です。

この手続きを行えば、免税事業者から課税事業者になる手続きである「消費税課税事業者選択届出書」の提出を省略できます。

ただし、2023年4月1日以降にインボイス発行事業者に登録する場合は、「適格請求書発行事業者の登録申請手続」と合わせて、「消費税課税事業者選択届出書」の提出も必要になります。

それぞれの手続き方法はネット上で解説されているのでここでは解説しませんが、オンラインでの申請も可能です。もちろん税理士に任せてもいいでしょう。

インボイス発行事業者になったら

インボイス発行事業者になったら、やらなければならないことは何でしょうか。

●買い手としてやること

まず買い手としては、国内で何かの商品を仕入れたり、サービスの提供を受けたりしてお金を支払い、請求書・領収書・レシート等を受け取る場合に、それがインボイスのルールに則った書類かどうかをチェックする必要があります。具体的には、インボイス発行事業者の登録番号が記載されているものがインボイスです。

インボイスではない請求書や領収書では、仕入れ税額控除の適用を受けられないからです。

ただし前述しましたが、2029年9月30日まで猶予期間があり、売上1億円以下の事業者が、1万円未満の経費を支払った場合にはインボイス不要で仕入税額控除の対象になります。

●売り手としてやること

売り手としては、国内で何らかの物を販売した際に発行する請求書や領収書に、インボイス発行事業者の登録番号を記載する必要があります。国内のAmazonで販売する際にはこの対応が必要になります。

具体的な作業は、Amazonセラーセントラルでインボイス発行事業者の登録番号を入力するだけです。あとはAmazon側が自動的にインボイスを発行してくれます。

アメリカのAmazonで輸出販売をする際には、インボイス制度は関係ないので対応不要です。

なおインボイス制度はこれからスタートする制度であるため、まだ明確に定まっていない部分があり、制度が変更される可能性もあります。インターネットなどさまざまなメディアで関連情報が解説されているので、それらを読んで理解を深めるようにしてください。

5-3

自社ブランド構築し、DtoCビジネスへ

DtoC戦略とは？

DtoC（Direct to Consumer）とはメーカーなどが自分たちで企画・製造した商品を、店舗などを介さずにダイレクトに顧客に届ける販売手法です。インターネットの発達によって生まれた新たな取引形態といえます。

DtoCの形態であれば、店舗を持つほどの資金がない中小企業・個人事業主も、自社の商品を広く販売できます。

DtoCを実践するうえで活用しやすいのが、Amazon、楽天、ヤフー！に代表される国内のECプラットフォームです。

このなかでもやはりAmazonは最もユーザー数が多く、販売しやすいプラットフォームといえます。

Amazonでの海外物販に取り組んでいる方は、他のメーカーが作った商品を販売するという流れを一通り経験しています。これは国内のAmazonでも同じです。

そこでアメリカだけでなく国内のAmazonなどでの販売にもチャレンジすることで、ビジネスの幅を広げることができます。

また、円安の状況は輸出に有利ですが、円高になったら逆に不利になってしまいます。円高になった時の対応として、国内物販の手法も

学んでおくとリスクヘッジになります。

Amazon輸出物販に慣れてきたら、自社商品を作り、Amazonでの国内販売にもぜひチャレンジしてみましょう。

なお楽天やヤフーに関しては、初期費用が高いことと、ビックカメラなどの大手量販店が出店し競合となっていることから、規模の小さい個人事業主にとっては取り組みにくいプラットフォームといえます。したがって、まずはAmazonから取り組むのがベストです。

販売方法は、日本のAmazonもアメリカのAmazonとほとんど同じです。日本のFBA倉庫に商品を納入すれば、Amazonが自動的に出品し、販売してくれます。

●商品をどのようにして作るか

DtoCを行ううえで必要なのは自社商品です。では、工場を持っているわけではない私たちが、どうやって商品を作ったらいいのでしょうか。

海外でメーカーに製造してもらう（OEM）方法や、海外のメーカーと国内販売に関する代理店契約を結ぶなどの方法があります。

OEMとは、Original Equipment Manufacturingの略で、日本語でいえば「相手先ブランド製造」です。**OEM販売とは、メーカーに製造してもらったオリジナル商品を自社のブランドを付けて販売することを意味します。**

OEMのメリットとしては、独自商品を扱うことで、同一商品での価格競争から抜け出せることや、高い利益率を狙えること、自分のショップのブランド力を高めることができる点などが挙げられます。

中国からの輸入方法

自社商品を作るための有益な方法の1つとして、中国からの輸入があります。国内のメーカーに製造を委託することもできますが、コスト競争力では中国の工場に勝てません。

自社オリジナル商品を製造するなら、中国での製造が第一の候補に挙げられます。中国の会社と取引するには主に3種類のやり方があります。

●代行会社を通して現地工場と取引する

中国の現地で工場から買い付けや交渉を担ってくれる代行会社があります。この代行会社を介して、中国の現地工場に自社商品の製造を発注します。商品の検品や輸入も代行会社が担ってくれます。国内ではなくアメリカのAmazonで売りたい場合には、中国からアメリカへ直送もできます。

代行会社を利用することで、工場にお金を持ち出されるリスクや、発注者との細かいやり取りの労力を回避できます。日系の代行会社も数多くあり、日本語でのやり取りが多い点も安心です。

ネットで「中国輸入　代行会社」と検索すると、さまざまな会社が出てきます。私は残念ながら使ったことはないのですが、中国輸入を行っている知人の間でよく名前が挙がるのは「イーウーパスポート」「タオタロウ」といった代行会社です。すでに仕入れをしたい商品が決まっている場合は、代行会社を使うと便利です。

●自分で探して直接買い付ける

さまざまな商品を取り扱っている買い付けサイトから買い付ける方法があります。ネットショップと同じような感覚で商品を仕入れることができます。

代表的な買い付けサイトとしては、アリババグループである「AliExpress」や「1688.com」があります。

AliExpressは中国の商品を世界から買い付けできるECサイトです。AliExpressは日本語表示も可能です。

1688.comは同じアリババグループですが、AliExpressよりも大量仕入れ向けです。

●日本でパートナーを探す

クラウドワークスやランサーズなどのクラウドソーシングのサイトで、中国語ができて買い付けに協力してくれる人を探す方法があります。

クラウドソーシングには日本にいる中国人も登録しています。そういった人に協力してもらい、中国側の工場などと交渉をしてもらうことで商品の委託製造や輸入を行います。専門の代行会社に頼むよりも安く行えるはずです。

パートナーを自分で探して取引する時は、お金を払った後に逃げられないように注意することです。クラウドソーシングのサイトを介して発注しているのであれば、業務終了後の支払いになるので、お金だけを持ち逃げされるリスクは少ないといえますが、それでもパートナー選びは慎重に行った方がよいでしょう。

いずれにしても大切なことは、工場や代行会社などの相手をよく見極めることです。きちんと見極めて適切なパートナーと取引ができれば、売れる商品を製造・輸入することができます。

そしてパートナーと継続的な関係を築くことであなたのビジネスはさらに発展していくはずです。

海外展示会で新商品をリサーチ

展示会で新商品を仕入れ競合他社との差別化を図る

自社商品をつくるうえでの1つの方法が、海外の展示会で商品を買い付けることです。

海外で人気になっているものの、日本にまだ上陸していない商品はたくさんあります。そういった商品はすでに海外でブランドの構築ができているので、日本で一からブランドを構築しなくても販売しやすいといえます。

海外の展示会で探すことで、日本未上陸の有力なブランドと出会うことができます。比較的訪問しやすいアジアでは下記の展示会が有名です。

○**global sources**
https://www.globalsources.com/

○**HKTDC**
https://www.hktdc.com/

○**mega-show**
https://www.mega-show.com/

これらの展示会は、実はオンラインでも商品を検索できますし、サンプルを取り寄せたり出品者と交渉したりできます。

HKTDCのオンライン展示会

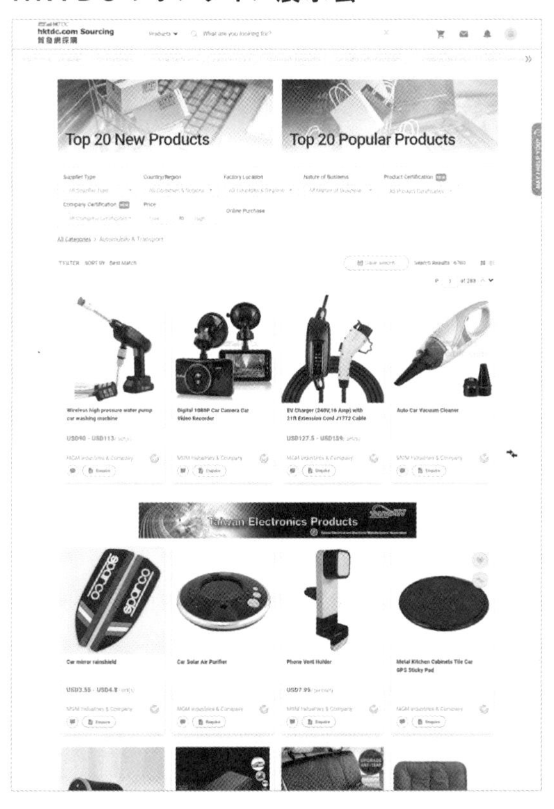

コロナ禍になってから、リアルな展示会はなくなり、オンラインでの展示会に移ったからです。

しかしコロナが落ち着いてきたことで、世界ではリアルの展示会がまた開催されるようになっています。コロナ禍が完全に終息すれば、再びオンラインよりもリアルな展示会が主流になってくると考えられます。

展示会のいいところは、商品実物を見て、メーカーの担当者に直接質問したり交渉したりできることです。

また、競合他社との差別化を図れる点も大きなメリットです。前項で紹介した「AliExpress」などを利用して買い付ける方法は、いわば誰でもできる手法です。それだけに、同じ商品を買い付けている出品者との間で価格競争になりがちです。

しかし展示会に出向き、日本にない独自の商品を見つけることができれば、競合他社を出し抜き大きな利益を上げられる可能性があります。

Amazon輸出販売を始めたばかりの人にとってはだいぶ先のステップになるかもしれませんが、そういうビジネスの広げ方もあると知っておいてください。

5-5

クラウドファンディングを使って資金調達

クラウドファンディングとは？

新商品を開発する際に課題となるのが資金です。商品づくりのために資金調達する方法にはいろいろありますが、お金を得ると同時に販売もできてしまう便利な仕組みがあります。クラウドファンディングです。

クラウドファンディング（Crowdfunding）とは、インターネットで自分のやりたいことや作りたいものを発表し、賛同してくれた人から広く資金を集める仕組みです。

クラウドファンディングには「購入型」「寄付型」「投資型」などのタイプがありますが、物販で利用するなら「購入型」が当てはまります。購入型のクラウドファンディングサイトには以下のようなものがあります。

○Makuake

https://www.makuake.com/

○CAMPFIRE

https://camp-fire.jp/

○machi-ya

https://camp-fire.jp/machi-ya

○GREEN FUNDING

https://greenfunding.jp/

○未来ショッピング

https://shopping.nikkei.co.jp/

お金を集めたい人は、クラウドファンディングのサイト上でプロジェクトの情報を載せたページを作り、企画中の商品やサービスをアピールします。それに賛同してくれた人がお金を出してくれたら、実際のプロジェクトがスタートするという流れになります。

クラウドファンディングのサイト掲載料は無料ですが、プロジェクトが成立した時に、調達した資金の20%前後の手数料を支払う必要があります。

クラウドファンディングを利用して資金を集めるメリットとしては、

- 商品開発をする前に資金調達ができる。
- 売れるかどうかわからない新商品を、ひとまずクラウドファンディングで紹介することでニーズを探れる。
- プラットフォームのPR力を利用できる。
- クラウドファンディングで注文を受けることで事前の売上予測が立てられるため、在庫過多リスクを回避できる。

などがあります。

プロジェクトは二通り

クラウドファンディングでのプロジェクト掲載方法には二通りあります。All or Nothing型とAll in型です。

●All or Nothing型

あらかじめ設定した期間内に目標金額を達成したら、集まった資金を獲得できる。

目標金額に到達しなかった場合は、サポーター（資金提供者）からの申し込みはキャンセル・全額返金となり、プラットフォームへ支払う手数料も発生しない。

●All in型
目標金額を達成しなかったとしても、期日までに集まった資金を獲得できる。目標金額の達成の有無にかかわらず、サポーターへのリターン（商品の提供など）が必要。

実際に掲載されているプロジェクトを見てみると、9割以上が「All in型」です。

商品を開発・販売することを前提に、どれくらい需要があるか、どれくらい発注したらいいかを知るためのテストマーケティングとして活用されるケースが多いと考えられます。

クラウドファンディングでプロジェクトを掲載してお金を集め、手数料を差し引いた残りが入金されるのは、翌月末です。例えば5月半ばにプロジェクトの募集が終了したら、入金があるのは6月末ということになります。

そしてサポーターへリターン（商品など）を届ける時期の設定は、商品の製造や配送の準備期間を考慮して設定します。通常はプロジェクト終了から3カ月程度が多いようです。

つまり、クラウドファンディングで資金を調達してから必要量だけをメーカーに発注すれば間に合うスケジュールです。在庫を持たずに商品を販売できてしまうということです。

クラウドファンディングのサイトで他のプロジェクトを見るだけでも

「こんな商品はおもしろそう」「この商品は目標金額を大幅に超えて資金を集めている」などとさまざまな気づきがあり、勉強になります。

クラウドファンディングの進め方

クラウドファンディングのプロジェクトを掲載するうえで、準備しておくことがいくつかあります。

まず、海外のメーカーに製造を委託して、その商品を国内で販売する場合、クラウドファンディングのサイトによってはメーカー側と独占販売契約を結んでいることの証明を提出する必要があります。

また、電気用品の販売に当たっては「技適（技術基準適合証明）」「PSE（電気用品安全法）」などの認証が必要になる場合があります。クラウドファンディングのプロジェクトを掲載する際には、これらの認証を取得する段取りを把握したうえで掲載した方が安全です。プロジェクトでお金を集めたものの、認証が取得できずに商品が販売できない、というトラブルを防ぐためです。

次に、写真素材を用意します。クラウドファンディングのサイトでプロジェクトを見ればわかりますが、見栄えの良い写真と文章で説明されています。これらの写真はメーカー側が準備してくれることが多いでしょう。

また、プロジェクトの内容を説明する文章を用意する必要があります。これは自分で書いてもいいですが、クラウドソーシングのサイトなどで探してコピーライターに任せてしまった方が手っ取り早いといえるでしょう。

プロジェクトの掲載に当たっては、まずはクラウドファンディングのサイトで掲載申し込みを行います。すると担当者が付いて、ページ設計やプロモーションプラン策定をサポートしてくれます。

なおクラウドファンディングは現在非常に盛り上がっており、プロジェクトの掲載数は多いです。担当者がサポートしてくれて掲載スタートになるまでに1カ月以上待たされる可能性もあるので、スケジュールには余裕を持って申し込む必要があります。

5-6

オリジナル商品に必要なJANコードの取得

JANコードとは？

海外から輸入した商品、あるいは国内外のOEMメーカーから仕入れた商品を国内で流通させる場合には、「JANコード」を貼り付ける必要があります。

JANコードとは、「どの事業者の、どの商品か」を表す国際標準の商品識別コードのこと。日本国内においてはJANコード（Japanese Article Number）ですが、国際的にはEAN（European Article Number）コードと言われます。

商品の箱などに必ず、「45」から始まる数字とバーコードで構成されたものが貼ってあります。あの数字がJANコードで、数字とバーコードを組み合わせたものを「JANシンボル」と呼びます。

日本で使われているJANコードは、GS1 Japan（一般財団法人流通システム開発センター）が発行・管理しています。

実は国内で商品を売る場合に、JANコードの添付が必須というわけではありません。例えばAmazonなどで並行輸入品を買うと、海外のコードだけが貼ってある商品が送られてくることもありますよね。ただそのような商品を見ると、何となく「大丈夫かな？」と不安になる消費者もいます。

海外から輸入した商品を国内で販売する際に、自社のJANコードを付与してから販売することで、「国内正規品」として消費者にアピールできます。

JANコードを貼らずに並行輸入したまま販売している商品と差別化する意味でも、JANコードの取得は有効と言えます。

JANコードの取得・作成方法

JANコードを取得する場合にはGS1 Japanのホームページから手続きする必要があります。

○GS1 Japan
https://www.gs1jp.org/

トップページの【GS1事業者コードの登録申請はこちらから】をクリックし、事業者として新規登録した後、申請フォームから申請します。法人ではなく個人事業主も登録できます。

登録申請にかかる費用は、事業者全体の年間売上高と支払い年数（3年払いまたは1年払いを選択）により決まります。

年間売上高1億円未満の事業者が、3年払いで登録する場合、初期申請料11,000円、登録管理料（3年分）16,500円です。1年払いの場合は、初期登録料11,000円、登録管理料（1年分）6,050円です。

登録申請が完了したら、バーコードを作成できるようになります。

新規申請では、申告した商品アイテムの利用予定数を元に9桁または10桁のGS1事業者コードが貸与されます。GSI事業者コードと、個々の商品を表す「商品アイテムコード」、そして読み誤りがないかを自動的にチェックするための数字「チェックデジット」を組み合わせてJANコードが決まります。

なお商品アイテムコードの部分は自社で設定します。01から始めて02、03と順に付与していけばいいでしょう。

チェックデジットの計算式は複雑なのですが、GS1 Japanのホームページに用意されている計算フォームで簡単に計算できます。また、数字とバーコードを組み合わせた「JANシンボル」は、ネット上で「バーコード　作成」などと検索すれば自動生成してくれるサイトが見つかります。Excelの関数を使って表示させることも可能です。

JANコードを取得して利用するようになったら、適切に管理する必要があります。

Excelファイルなどに商品名と各種コードの一覧を記載したJANコード管理表を作って管理してください。その商品をAmazonなどで販売することも踏まえて、管理表にはASINコードやSKUなどのコードを入力する欄も作っておくとよいでしょう。

5-7

Amazonにカタログを作成

オリジナル商品をAmazonで販売

自分のオリジナル商品が仕上がったら、Amazonで販売しましょう。

これまで本書では、すでにカタログが作成されている（Amazonに登録がある）商品を仕入れて、納入するという方法を紹介してきました。それは既存の商品のカタログがすでに作成されている場合にのみ有効です。

Amazonで売られていないオリジナル商品を販売する場合、一からカタログを作る作業が必要になります。

カタログを作成するには、セラーセントラルに入り、上部の【カタログ】メニューから【商品登録】を選んで商品登録をスタートします。

そして「商品を新規に登録する」の部分をクリックして作成を進めます。次にジャンルを設定して、【選択する】を選ぶとカタログの作成画面に移ります。

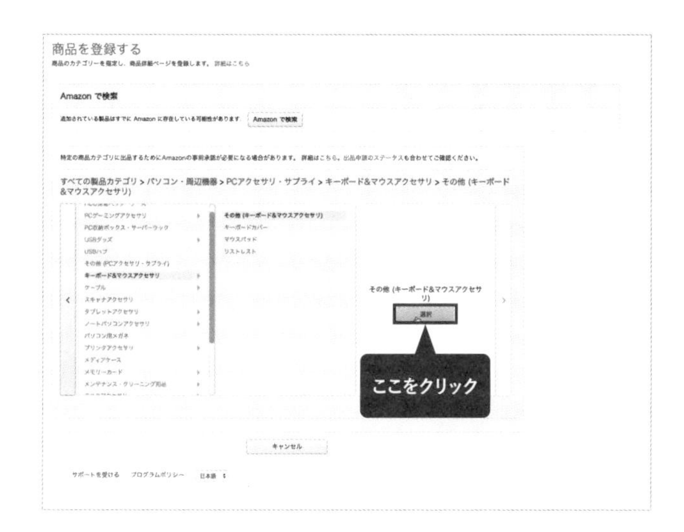

次の画面では、商品コードや（JANコード）や商品名、ブランド名などを入力します。JANコードの取得方法については1つ前に説明した通りです。

そしてカタログの作成が終了すると、Amazonの世界共通の商品コードであるASINコードが割り当てられ、出品の準備が整うことになります。

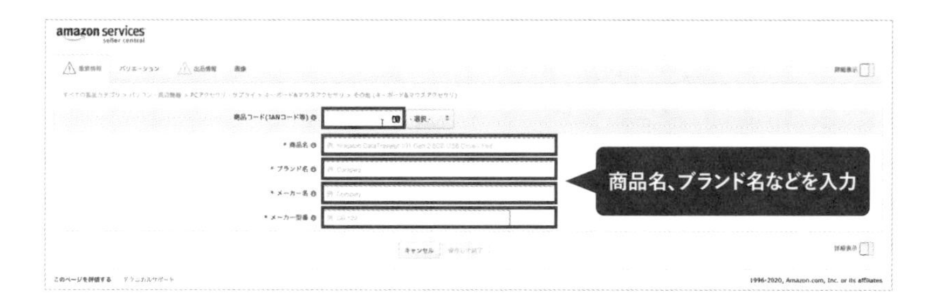

カタログの作成

カタログの作成に関しては、ライバル商品のページを参考に進めていくのが一番早いと思いますが、大まかなポイントをお伝えします。

Amazonのカタログ（商品ページ）の主な構成要素は次の6つ。

- タイトル
- 商品説明（5行の箇条書き）
- 検索キーワード
- メイン画像
- サブ画像
- A＋コンテンツ（商品紹介コンテンツ）

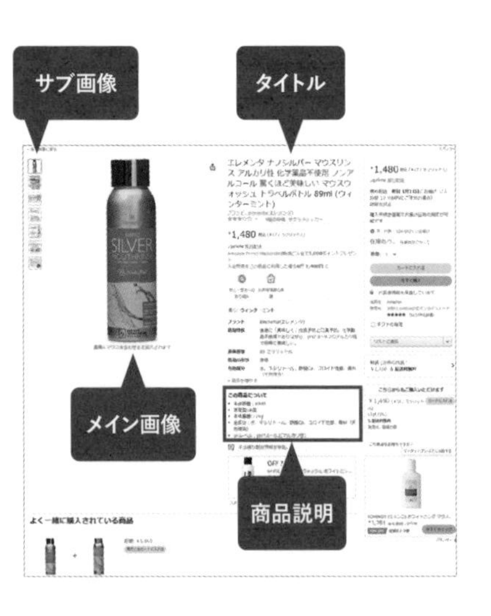

実際にAmazonの商品ページをご覧いただくと、上記の要素で構成されているのがおわかりになるはずです。

セラーセントラルでこれらの要素を設定することで、Amazonのカタログを作成できます。

タイトルや商品説明を工夫することで、IMP数（インプレッション数：何回表示されたか）、CVR（コンバージョンレート：何個売れたか）などの数字が変化します。

Amazon内でのSEO（検索エンジン最適化）を意識してこれらを設定する必要があります。

また、商品説明は丁寧に書けばいいというものではありません。

消費者は、安い商品であれば速やかに内容を理解してさっと買いたいと思いますし、高い商品ならじっくりと説明を読んでよく吟味してから買いたいと思うはずです。

商品価格やジャンルによって説明方法を変える必要があるのです。

当然ながら画像も重要です。Amazonのページを開いた時に最初に目に入るものが画像だからです。また、キーワードで検索した時に、検索結果がずらっと並びますが、そのなかからクリックしてもらうためにも画像で差別化を図ることが重要になります。

その他、Amazonのカタログは奥が深く、作り方次第で売れ行きに大きく影響します。それだけにうまく行った時は非常に大きな成果を得ることができます。

スポンサープロダクト(広告)を活用する

Amazonでは、検索結果の画面に広告を出すことができます。

商品を発売したばかりでレビューも付いていないうちは、なかなか商品を買ってもらうことができないばかりか、検索結果にも表示されません。

そこで広告を出して、まずはAmazonのなかで露出を増やすことが大切です。そうすることで検索結果の上位にも表示されるようになり、商品が売れやすくなります。

広告についてもセラーセントラルで設定します。1日500円や1,000円といった少額からスタートできます。

Amazonの広告出稿は自分で設定したり運用したりすることもありますが、運用代行のプロに任せるのが一番早いです。予算に応じて広告運用を任せることができます。そして、その運用の仕方をよく観察することでノウハウを学び、いずれは自分で挑戦してみるのもいいのではないでしょうか。

これまでAmazonの輸出物販に取り組んできた実績があるのなら、すでにアカウントが育った状態です。新規アカウントで新規登録商品に取り組むとなると、検索結果への表示で苦戦することになりますが、すでに実績のあるアカウントならスタートから有利です。

広告を使って新商品を販売すれば、すぐに一定の売上が上がるはずです。そして実際に商品が売れれば実績が積み重なり、さらにアカウントが強くなるという好循環に入っていきます。

ぜひ自社ブランド商品を作り、Amazonでの販売にチャレンジしてみてください。

BtoBビジネスへの展開

量販店などのバイヤーにアピール

物販の最終形態といえるのは、BtoB展開です。**つまり一般消費者に向けてではなく、量販店や百貨店、スーパーマーケット、ホームセンターなどのバイヤーと直接取引（販売）をするということ。**

それらのバイヤーとの直接取引に成功すれば、大量の商品を一気に販売することも可能になり、大きな利益を狙えます。

バイヤーと出会うために最適な手段が展示会への出展です。

海外展示会での買い付けについてはすでに説明しましたが、今度はその逆です。自分で見つけてきた商品を日本の展示会に出展して、バイヤーにアピールして購入してもらうことが目的です。

例えば以下のような展示会があります。

●ギフトショー

有名なのがギフトショーです。規模が大きく歴史も最も長い大規模展示会です。家電から雑貨、ファッションまで幅広いジャンルの商品が出展されます。

私も最初に出展したのはギフトショーでした。そこでいろいろなバイヤーとつながり、量販店に商品を並べてもらうことができました。

毎年2回、10月と2月頃に開催されます。展示会へのエントリーは開催半年前くらいから始まります。エントリーしたあたりから準備を始める必要があります。

●ライフスタイルWeek

「ベビー＆キッズEXPO」「ファッション雑貨EXPO」「インテリア雑貨EXPO」「文具・紙製品展」などのカテゴリーに分かれ、幅広い商品を扱っている展示会で、春と秋の2回開催しています。

内容的にはギフトショーとほぼ同じですが、カテゴリーが細かく分かれているので、バイヤーにとって見やすいという特徴があります。

また、ライフスタイルWeekは、出展ブースの区画が早いもの勝ちで埋まるという特徴があります。これに対してギフトショーは抽選です。

●インテリアライフスタイル

インテリアやライフスタイル雑貨中心の展示会です。おしゃれ系商品を展示するには最適といえます。

出展ブースの振り分けは、抽選でも早い者勝ちでもなく事務局が決めます。商品のデザインや品質などを見て決めているようです。

ギフトショーではバイヤーに「単価が高い」と言われた商品が、インテリアライフスタイルに来たバイヤーには気に入ってもらえて購入につながったケースもあります。

このように展示会ごとの特徴を理解すると、自社商品にマッチした出展ができます。

なお出展費用は、最も小さい1コマ（3m×3m）でおおよそ40万円です。さらに什器を持ち込んで、ブースの装飾を施して……とやっていくと60万、70万円とかかることになります。

個人の規模で出展するには費用負担が大きすぎるかもしれません。

そこで私の場合、コンサルの生徒さんたちやビジネスパートナーと共同で出展することがあります。複数の会社がお金を出し合うことで、複数コマを確保し、費用を抑えながら目立つ展示が行えます。

展示会の効果を最大限にする

出展するには、商品サンプルはもちろん、パンフレット、チラシなどを準備する必要があります。

また、展示会に出展することが決まったら、プレスリリースを出すことが大切です。

「@press」「PR TIMES」といった配信サイトを使うと、低価格でプレスリリースを配信できます。世間のメディアに対して、「展示会をやってこんな商品を出展します！」とアピールするわけです。

うまくいけば大手のメディアに取り上げられて、SNSなどで拡散されて話題になる可能性もあります。

私はギフトショーに出展する際にプレスリリースを配信したところ、多くの問い合わせや取材を受けたことがあります。

なおプレスリリースは展示会への出展の際だけでなく、新商品の発売、商品が店頭に並んだ時、何らかの賞を獲得した時など、アピールできるニュースがあった時に随時配信するとよいでしょう。

おわりに

本書では、まもなくスタートするインボイス制度に完全対応した、在宅副業でドルを稼ぐAmazon輸出物販のノウハウをお伝えしてきました。

お読みいただいていかがでしたでしょうか？

「自分にもできそう」

「在宅で輸出物販に取り組んで副収入を確保したい」

と思っていただけたのではないでしょうか。

かつての私と同じように、「なかなか収入が増えていかない」と悩むサラリーマンはたくさんいます。また、「外に出られないけど働きたい」主婦も多いと聞きます。

一方で、円安や物価高の影響で支出は増えて、家計は徐々に苦しくなっているのが現状です。

そんな悩みを抱えている人でも、在宅副業で外貨を稼ぐ仕組みを身につければ、日々の生活に余裕が生まれ、悩みも解決するのではないかと考えます。

本書を参考に、多くの皆さんに、より豊かな未来を手に入れてほしいと願っています。

2023年2月　田村浩

お読みいただいた方への著者からのご案内

これまでお話してきた内容を元に本格的に学びたい！　そんな方のための学びの場「チェンジミー輸出オンラインスクール」を運営しています。ご興味のある方はぜひ以下のリンクから無料オンラインスクールを受講してみてくださいね。

○「チェンジミー輸出オンラインスクール」

https://infinitusvalue01.com/book

インフィニタス・バリューのコンサルティングサービス

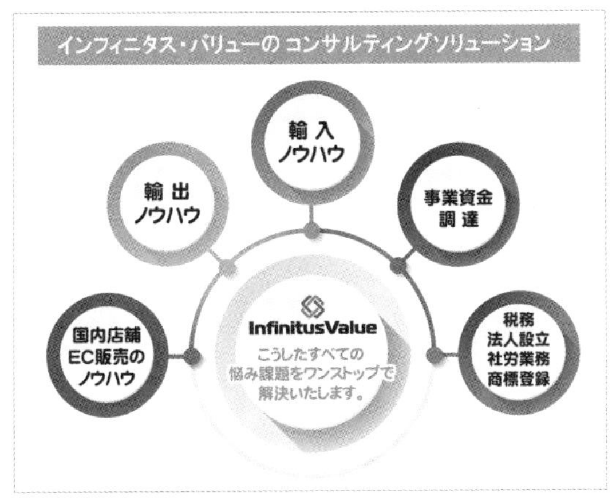

私が代表取締役を務めている株式会社インフィニタス・バリューでは、輸出入やEC販売の豊富な経験とネットワークをフルに活かし、きめ細やかなコンサルティングサービスを提供しています。

物販ビジネスの基礎を固めるオンラインサロン「チェンジミー」

国内ECや海外ECのアカウント作成から仕入れ、販売までの基礎を学べるオンラインサロンやスクールを展開しています。

○株式会社インフィニタス・バリュー

https://www.infinitusvalue.info/

田村浩

Hiroshi Tamura

株式会社インフィニタス・バリュー代表取締役。
1986年生まれ。福岡出身。九州大学卒業後、富士通株式会社に入社。大手携帯通信キャリアを相手にソリューション営業として活躍。
サラリーマンの出世街道を全速力で駆け上がっていた2015年の春、妻の出産を機に本格的に副業に興味を持ち、本業と並行して国内物販ビジネスを始め、開始4ヶ月（子供4ヶ月）で月間利益100万円を稼ぐ。
継続して副業で月利100万円前後を稼ぎ続け、2016年からはAmazon輸出を開始。副業開始1年で本業収入とは別で月収200万円を達成する。
2016年12月、30歳の誕生日と同時に富士通を退社し、翌2017年1月に法人を設立。
現在はオリジナルブランド商品のプロデュースや海外輸出など物販ビジネスを拡大させつつ、自身の経験を活かしサラリーマン・主婦向けに物販を中心とした 副業のコンサルを行っている。
これまで自身で運営する物販スクールでは1000名以上の生徒を育成。サラリーマン主婦の副業から、法人設立して独立する生徒も多い。

○株式会社インフィニタス・バリュー
https://www.infinitusvalue.info/

Amazon
個人輸出完全ガイド

2023年3月31日　初版第1刷発行

著者　田村 浩
編集人　河田周平
発行人　佐藤孔建
印刷所　三松堂株式会社
発行　スタンダーズ・プレス株式会社
発売　スタンダーズ株式会社
〒160-0008 東京都新宿区四谷三栄町12-4 竹田ビル3F
営業部　Tel. 03-6380-6132
Webサイト　https://www.standards.co.jp/